PROCESO INQUISITORIAL
DEL CACIQUE DE TETZCOCO

Esta edición reproduce la de Luis González Obregón de 1910, con su paleografía del "Proceso inquisitorial del cacique de Tetzcoco" y nota preliminar. El libro fue publicado por Eusebio Gómez de la Puente, editor, ciudad de México, 1910. El documento del Proceso mismo fue identificado por González Obregón así: Archivo General y Público de la Nación. Siglo XVI. Inquisición. Procesos por proposiciones heréticas. 2. Primera parte.

© 2009, coedición:
Congreso Internacional de Americanistas, A.C.

 53° ICA

Gobierno del Distrito Federal / Secretaría de Cultura / Dirección de Divulgación Cultural / Publicaciones

© Víctor Jiménez
Texto introductorio y Apéndice

Cuidado de la edición:
Eduardo Clavé, Gustavo Martínez y Víctor Jiménez

Diseño de interiores:
Gabriela Oliva

Diseño de cubierta:
Galera / Óscar Rodríguez

ISBN: 978-607-00-1327-0

Impreso y hecho en México
Lito Nueva Época
Heriberto Frías 1451-2, Col. del Valle
03100, México, D.F. Tel/fax: 5605 3510
Email: litonuevaepoca@gmail.com

PROCESO INQUISITORIAL
DEL CACIQUE DE TETZCOCO

Luis González Obregón

Paleografía
y nota preliminar

Fig. 1. Cuadro 11, Diego Muñoz Camargo, *Relaciones Geográficas del siglo* XVI: *Tlaxcala*, edición de René Acuña, Instituto de Investigaciones Antropológicas, Universidad Nacional Autónoma de México, México, 1984, tomo I (en adelante, *Relaciones... Tlaxcala*, tomo I). Ahorcamiento y quema del cuerpo de un practicante de juegos de azar y humillación de otros tres, que fueron trasquilados. Se quemaron también algunos atavíos. Los juegos eran de carácter religioso. Arriba dice (en náhuatl): "aquí [está como] colgaron al jugador"; abajo, en español: "disipación de los juegos y tahurerías de los jugadores, y fue justiciado uno dellos porque hacía burla de n[uestr]a s[an]ta fe, por mandado de Cortés".

EL PROCESO INQUISITORIAL DEL CACIQUE
DE TETZCOCO, EDITADO EN 1910
POR LUIS GONZÁLEZ OBREGÓN

Hace cien años, en 1909, el estudioso que había iniciado en la época moderna el género historiográfico de la ciudad de México, como autor de los artículos periodísticos reunidos en *México viejo*, con notable aceptación de público y crítica, Luis González Obregón (1865-1938), fue invitado a incorporarse a la recién creada Comisión Reorganizadora del Archivo General de la Nación, cuyos acervos, poco cuidados, se acumulaban entonces en el Palacio Nacional, frente a la Plaza del Volador. González Obregón se había interesado también en los precursores de la Independencia mexicana y por el funcionamiento de los tribunales de la Inquisición como instrumento de represión política. Discípulo de Ignacio Manuel Altamirano y seguidor de Vicente Riva Palacio, su orientación liberal se percibe con claridad en algunos de sus trabajos y en la importancia concedida por él al hallazgo, entre los papeles del Archivo y en el ramo "Inquisición", del Proceso seguido contra el gobernante texcocano –nieto de Netzahualcóyotl– Chichimecatecuhtli, también conocido como Ometochtzin y por el nombre que le impusieron los españoles: Carlos. Quemado vivo por disposición del obispo Juan de Zumárraga en la Plaza Mayor de la ciudad (el actual Zócalo) el 30 de noviembre de 1539, hará pronto 470 años, se le acusó de haber exhortado a sus allegados y parientes a desconocer la religión y el gobierno (dos caras de una misma moneda) de los españoles.

González Obregón vio en Chichimecatecuhtli al precursor más temprano de la Independencia nacional, tema que había explorado de manera sistemática, y puesto que el Auto de fe y la ejecución del nieto de Netzahualcóyotl tuvieron lugar en la ciudad de México, el caso pertenecía también a su otro campo de elección como estudioso. González Obregón consiguió el apoyo necesario para publicar este documento, precedido por un estudio suyo, en 1910, y tenía tres motivos para hacerlo: primero, para iniciar con él las publicaciones del Archivo General de la Nación; segundo, para incorporarlo a la celebración del primer Centenario de la Independencia, dando a conocer a este precursor hasta entonces ignorado; y tercero, para ofrecerlo a los integrantes del xvii Congreso Internacional de Americanistas, a celebrarse aquel año por segunda vez en la ciudad de México (la primera había tenido lugar en 1895).

Superada la etapa más violenta de la Revolución, González Obregón publica otro libro muy elogiado, *Las calles de México*, que lo consagra como cronista de la ciudad. Este cargo había existido durante el régimen colonial, con Francisco Cervantes de Salazar como el primero y Juan Francisco Sahagún y Arévalo Ladrón de Guevara como el último, y desde la muerte de éste, en 1761, el cargo había permanecido vacante. Luis González Obregón vino a ser así, por mérito propio, el primer cronista de la ciudad de México en el período independiente, lo que se formalizaría cuando el Ayuntamiento decide recuperar el antiguo título, con carácter vitalicio, para otorgárselo. El honor se complementó al decretarse el cambio del nombre de la calle donde vívía (de la Encarnación) por el del mismo cronista, aún en vida de éste.

Hoy reeditamos el *Proceso inquisitorial del cacique de Tetzcoco*, como lo llamó González Obregón, en circunstancias muy similares a las que acompañaron su aparición en 1910, ya que dedicamos esta publicación, en 2009, a los integrantes del Congreso Internacional de Americanistas que, con el número 53, vuelve a reunirse en nuestra ciudad (después de haberlo hecho, además de los años mencionados, en 1939, 1962 y 1974), e igualmente en el marco de las celebraciones del ahora Segundo Centenario de la Independencia Nacional. Honramos una vez más la memoria del primero de sus precursores, el texcocano Chichimecatecuhtli Ometochtzin, como lo quiso hace casi un siglo Luis González Obregón, quien sin duda vería con agrado que su hallazgo no hubiese perdido vigencia. Un nuevo apéndice pone en evidencia que sus intuiciones fundamentales eran correctas, y actualiza el estado de la investigación en la materia, tanto en el caso del propio Chichimecatecuhtli como en el del entorno histórico que lo hizo posible, ya que el suyo no fue, de manera alguna, un suceso excepcional.

Fig. 2. Cuadro 12, *Relaciones... Tlaxcala*, tomo I. Un "principal" en una cueva practicando los ritos de su religión; luego aparece ahorcado para aleccionamiento de los tlaxcaltecas que observan la escena, con un fraile señalando la secuencia de los hechos. La leyenda de arriba dice (en náhuatl): "lo colgaron en la mañana del siguiente día"; la de abajo, en español: "justicia que se hizo de un cacique de Tlaxcala porque había reincidido en ser idólatra; habiendo sido cristiano, se había ido a unas cuevas a idolatrar".

El proceso contra Chichimecatecuhtli Ometochtzin: la Inquisición y la implantación del régimen colonial en México

El trabajo pionero de Luis González Obregón

Víctor Jiménez

Luis González Obregón (1865-1938), discípulo de Ignacio Manuel Altamirano y seguidor de Vicente Riva Palacio, estaba destinado a ser un historiador liberal. No es extraño así que tuviese un interés particular por los precursores de la Independencia de México y por la Inquisición, temas que pudo relacionar de manera puntual en los casos del irlandés Guillén de Lampart –personaje más anecdótico– y Chichimecatecuhtli Ometochtzin, cuya importancia histórica es completamente distinta. Los trabajos iniciales de González Obregón en esta línea (aún sin el de Chichimecatecuhtli), publicados en 1906-1908, fueron reunidos en 1952 en *Rebeliones indígenas y precursores de la Independencia mexicana en los siglos XVI, XVII y XVIII.*[1] Sus primeras incursiones en este campo lo llevaron a Hernán Cortés y su hijo Martín, aunque sólo con mucha lasitud se puede atribuir a tales personajes una intención "independentista". Se ocupó después del irlandés De Lampart, tampoco muy importante como "precursor" independentista (y así lo consideró él mismo), encontrando aquí ya la intervención de la Inquisición. Más interesante es su revisión de las rebeliones de los esclavos africanos y de las comunidades indígenas cuyos casos reunió: los acaxees de Topia, los tepehuanes de Durango (que ya se enfrentaron con la Iglesia), los zapotecos de Tehuantepec y de Villa Alta en Oaxaca, reprimidos con auxilio del clero y la Inquisición,

[1] Ediciones Fuente Cultural, México, 1952.

11

así como los tarahumaras, que también rechazaban al clero español. No olvidó algunos de los llamados "tumultos" de la ciudad de México. El biógrafo de González Obregón, Alberto María Carreño, quien lo entrevistó largamente, cuenta que habiéndose iniciado como creador literario habría de inclinarse posteriormente hacia la historia. De esta forma llegó a pertenecer en 1909 a la Comisión Reorganizadora del Archivo General de la Nación (que presidiría en 1911), dependiente entonces de la Secretaría de Relaciones Exteriores. Al iniciar su tarea estos pioneros encontraron que todo el trabajo estaba por hacerse. No obstante, les aguardaban no pocas satisfacciones como investigadores frente a una montaña de documentos cuya consulta ya exigía, por principio, desempolvarlos y leerlos con la paciente habilidad del paleógrafo (González Obregón era débil visual y murió ciego, lo que sólo enfatiza su mérito). Así fue como ocurrió lo que Carreño refiere de esta manera:

El ramo "Inquisición" fue entonces uno de los que más sorpresas comenzaron a proporcionar. Salió a luz el proceso seguido al Cacique de Texcoco por el Obispo Zumárraga en funciones de inquisidor, aun cuando la Inquisición propiamente no se había establecido en México y se obraba por delegación de la de España; y fue aquel interesante proceso la primera notable publicación que el Archivo pudo hacer con verdadera delicia de los aficionados a hurgar en el pasado.[2]

No es, pues, escasa la importancia que tiene este documento en la historiografía mexicana. Apareció en 1910 con el título de *Proceso inquisitorial del cacique de Tetzcoco*,[3] precedido por un estudio del mismo González Obregón y enriquecido con un apéndice relacionado con el caso de Chichimecatecuhtli. Pero además de la relevancia que dio González Obregón al proceso inquisitorial contra

[2] Alberto María Carreño, *El cronista Luis González Obregón (viejos cuadros)*, Ediciones Botas, México, 1938, p. 140.
[3] Eusebio Gómez de la Puente, editor, México, 1910.

el nieto de Netzahualcóyotl, fundamentalmente en el terreno político, también arrojaba luz, y no podía ser de otra manera, sobre la centralidad de la Inquisición española durante el régimen colonial. Tal papel ha querido disminuirse desde cierta historiografía, como saben los historiadores y como lo advirtió Leonardo Sciascia al ocuparse de la actuación de la Inquisición española en Italia.[4] En el caso mexicano este esfuerzo negacionista se ha dirigido sobre todo a ocultar que los nativos mexicanos fueron sus víctimas más numerosas y connotadas, no sólo por los casos individuales involucrados sino por la trascendencia que deliberadamente se les concedía, con la intención de causar el mayor efecto posible en la población establecida desde hacía muchos siglos en el territorio de lo que hoy es México. La misma historiografía conservadora sostiene, en forma complementaria, que habría un hipotético contraste entre las acciones llevadas a cabo por los militares, encomenderos, mineros y comerciantes españoles y las emprendidas por unos religiosos que deseaban moderar los excesos de todos ellos.

La realidad fue muy diferente. La historia que puede verse hoy, a la luz de los trabajos de Toribio Medina –destacado precursor en la materia– y Richard Greenleaf, así como del que hemos dedicado a documentar y analizar este vastísimo campo de estudio (incorporando al mismo los testimonios dejados por los propios inquisidores), es la de unos autos de fe (y disposiciones complementarias) que constituyen el núcleo mismo de la llamada "evangelización". Es así como, para actualizar el conocimiento de este ángulo de la Inquisición se incluye en esta edición, en un nuevo Apéndice, una versión abreviada del Capítulo IV ("Es decir, la Inquisición") del trabajo publicado por el autor de estas líneas y Rogelio González Medina bajo el título de *Inquisición y arquitectura: la "evangelización" y el ex obispado de Oaxaca*,[5] cuya reciente segunda edición

---

[4] "Muerte del inquisidor", en *Las parroquias de Regalpetra*, trad. de Rossend Arqués, Bruguera, Barcelona, 1982. Sciascia cita al intelectual español (franquista o, como aceptan ya los españoles que se diga en estos casos, fascista) Eugenio D'Ors (nota 2, p. 260).

[5] Víctor Jiménez y Rogelio González, *Inquisición y arquitectura: la "evangelización" y el ex obispado de Oaxaca*, Editorial RM, México, 2009.

(de este mismo 2009), ampliada, aborda el tema de manera extensa, incluyendo aportaciones al conocimiento del caso de Chichimeca-tecuhtli y del contexto que lo hizo posible, ya que su proceso es una muestra importante, pero de ninguna manera excepcional, de prácticas más generalizadas de lo que algunos estarían dispuestos a admitir. Para fortuna de la historiografía mexicana la labor pionera de Luis González Obregón en esta área es una excelente manera de iniciar una discusión informada e inteligente del asunto.

La reedición del libro con el que González Obregón inició las publicaciones del Archivo General de la Nación se justifica plenamente casi un siglo después, ya que la vigencia de la línea de investigación que abrió al hacer del conocimiento público este Proceso es, como podrá advertirlo el lector, por completo evidente.

Fig. 3. Cuadro 13, *Relaciones... Tlaxcala*, tomo i. Dos frailes queman a sacerdotes no católicos con sus atavíos ceremoniales, además de antiguos libros ("códices"). Arriba dice (en náhuatl): "aquí quemaron a los hechiceros los frailes"; abajo, en español: "incendio de todas las ropas y libros y atavíos de los sacerdotes idolátricos, que se los quemaron los frailes". Se distinguen en la hoguera, atizada por los frailes, unos cinco sacerdotes mexicanos, así como sus atavíos y ornamentos; a la derecha, dos jóvenes llevan los libros a la hoguera.

ESTADOS UNIDOS MEXICANOS
SECRETARIA DE RELACIONES EXTERIORES

PUBLICACIONES

DE

LA COMISION REORGANIZADORA

DEL

ARCHIVO GENERAL Y PUBLICO DE LA NACION

I

PROCESO INQUISITORIAL DEL CACIQUE DE TETZCOCO

MÉXICO

Eusebio Gómez de la Puente, Editor.

2ª de Nuevo México, 32

1910

PRELIMINAR

Luis González Obregón

Con el acuerdo oportuno y por indicación acertada del señor Secretario de Relaciones Exteriores, don Enrique C. Creel, inaugura una serie de publicaciones históricas la Comisión Reorganizadora del Archivo General y Público de la Nación, que al fin ha quedado definitivamente instalada, después de empeñosas y eficaces gestiones del señor subsecretario, don Federico Gamboa.

El documento elegido para iniciar la serie es un proceso inquisitorial, hasta ahora inédito y desconocido, que a no dudarlo, será de interés para los individuos que formen el XVII Congreso Internacional de Americanistas, que ha de reunirse en esta ciudad de México con motivo de las fiestas seculares de la proclamación de nuestra Independencia; porque el proceso contiene no pocas noticias sobre el culto de los dioses indígenas, sobre las costumbres y sobre la vida social en el siglo XVI; todo enumerado y descrito con muchos detalles, en las prolijas y animadas declaraciones de los testigos, que vertidas al castellano por intérpretes como Alonso de Molina, Fray Bernardino de Sahagún, el clérigo Juan González y otros peritos en la lengua náhuatl, nos conservan con exactitud el modo de narrar y de comunicarse entre sí, según la usanza de sus antepasados, los indios supervivientes a la conquista y, especialmente los descendientes de antiguos señores o caciques de los pueblos.

El proceso fue iniciado e instruído siendo inquisidor apostólico contra la herética pravedad y apostasía en la ciudad de México y en todo el obispado, don Fray Juan de Zumárraga, a quien se le había concedido tal título por el Arzobispo de Sevilla, don Alonso Manrique, inquisidor general de España, con fecha 27 de Junio de 1535.

El señor Zumárraga tenía facultad y poder para inquirir, contra todas o cualesquier personas, así hombres como mujeres, vivos o difuntos, ausentes o presentes, de cualquier estado o condición, prerrogativa y preeminencia y dignidad que fuesen o hubiesen sido en toda la diócesis de México, y que se hallasen culpados, sospechosos e infamados de herejía y apostasía, y contra todos los fautores, defensores y receptadores de ello.

Podía hacer procesos en debida forma de derecho, ciñéndose a lo que disponían los Cánones; así como encarcelar, penitenciar y castigar y aún relajar al brazo seglar a los reos, es decir, entregarlos a la autoridad del orden común para que ejecutase en ellos la pena de muerte, ya quemándolos vivos o después de haberles dado garrote en sus propias personas o en sus efigies.

Había también facultad para nombrar los oficiales que hubiere menester en sus inquisiciones, señalarles salarios o sueldos que demandaren sus servicios, y removerlos de sus empleos cuando lo juzgare oportuno.[1]

Con tan amplios poderes, el señor Zumárraga estableció en México el Santo Oficio, casi en forma, aunque no como Tribunal, puso cárcel, nombró alguacil, secretario, fiscal, y comisarios.

Un docto biógrafo,[2] asegura que el señor Zumárraga nunca usó el título de inquisidor apostólico, pero tal aseveración es inexacta, y en más de diez procesos que hemos tenido a la vista, y en el que hoy publicamos, actuó y firmaba con ese título, en castellano o en latín; conoció de toda clase de herejías, pronunció sentencias en unión de los oidores y celebró autos públicos de fe.

Viene, pues, a rectificar este error, del aludido erudito, el presente proceso, como rectifica a la vez los de antiguos cronistas, que al hablar del procesado, incurrieron en inexactitudes de otra índole; y al dar bastantes datos sobre el ardiente celo que desplegaba el primer obispo en la extirpación del culto idolátrico, celo que llevó bastante lejos, tratándose de individuos que por su reciente

---

[1] García Icazbalceta, *Don Fray Juan de Zumárraga*, Apéndice Núm. 17.
[2] *Op. cit.*, pag. 149.

conversión a la fe, merecían más clemencia de su justicia y menos rigor de sus cristianos sentimientos.

Quizá tal celo abrasador fue hijo de las ilusiones que se forjaron los primeros y santos misioneros, cuando con tanta actividad, pocos años después de consumada la Conquista, entregáronse a las prédicas y a las prácticas que requería la implantación del catolicismo entre los indios.

Los indios al comparar la mansa actitud de los misioneros con la fiereza de los conquistadores, las virtudes de aquéllos con los vicios de éstos, en bandadas acudían a las plazas y a los templos, apenas levantados, para recibir las aguas del bautismo. Por otra parte, los indios, ante el nuevo culto lleno de ceremonias y de pompas flamantes para ellos, fueron más catequizados por la novedad y lo aparatoso del ritual, que por la convicción; les cautivó sobre manera el canto, la música, el espectáculo teatral de las procesiones; todos ansiosos venían sin distinción de sexo ni edad a oír las misas, escuchar los sermones, recibir los sacramentos, y para asistir a todas y cada una de las festividades católicas.

En breve, sin embargo, apagóse aquella llamarada de conversiones encendida por el tizón del mal trato de los conquistadores y alimentada por el óleo del humanismo de los frailes.

Los mismos misioneros que como Fray Toribio de Benavente habían hecho alarde de convertir centenares, millares y aun millones de indios, comenzaron a ver la realidad descarnada, la aparente conversión de aquellas multitudes que habían recibido rociadas de aguas bautismales, pero que como lluvias pasajeras no hicieron germinar ni fructificar los granos esparcidos.

Los indios, unos no habían olvidado el antiguo culto y otros volvían después de bautizados, a abrazar de nuevo las creencias de sus mayores; y como todavía existían muchos sacerdotes y creyentes, fanáticos adoradores de sus derribados dioses, con el mismo celo que desplegaban los misioneros cristianos, tornaron al redil sus para ellos ovejas descarriadas.

Entonces sucedió lo que hubo de suceder. Los indios en los rincones de las chozas o jacales, en los templos o *teocallis* arruinados, en el fondo de las cuevas y en la cima de los cerros, en el apartado silencio de los bosques y en las orillas de los lagos, prosiguieron pertinaces en sus idolatrías, consumando sacrificios, ofreciendo flores, quemando copal o inciensos, y aun paliando la adoración de sus falsas deidades bajo los simulacros de imágenes y cruces cristianas.

Los misioneros, en cambio, desengañados de aquellas rápidas conversiones que en su santo candor creyeron sinceras, comenzaron a ser duros con los apóstatas y a reprenderlos en sus pláticas doctrinales, a azotarles públicamente, y a procesarlos en materias de fe relajándolos al brazo seglar que había de dar fuego a las primeras hornazas inquisitoriales.

«No quisiéramos ver mezclado el nombre del señor Zumárraga»–como dijo el señor García Icazcabalceta– en actos semejantes; pero el hecho es, que formó entre otros el proceso que se encontrará en el presente opúsculo; proceso inquisitorial en toda forma, con sus delaciones, su examen minucioso de testigos, sus amenazas a los que encubriesen delitos semejantes, confiscación de bienes, declaraciones de hijos, esposas y otros deudos, simulacros de defensas, exageraciones en los capítulos de la acusación fiscal; y a la postre el auto de fe público, en la plaza principal de la ciudad, ante concurso numeroso y asistencia de autoridades, previo pregón anunciándolo la víspera, con anatemas de excomunión mayor para los que no asistiesen y escarnio del pobre reo vestido con sambenito, coroza en la cabeza y candela encendida en la mano.

*

El procesado se llamaba don Carlos Ometochtzin, aunque según otros se apellidaba Yoyontzin, en su lengua, y Mendoza en la castellana, pero él se designó con el dictado de Chichimecatecutli, que era más bien el título que se daban los señores de Tetzcoco.[3] Fue nieto del sabio y poeta Netzahualcoyotl e hijo del severo y pru-

---

[3] Pomar, *Relación*, pág. 2; Sahagún, *Historia de las cosas de Nueva España*, Libro 8°, cap. III; Suárez de Peralta, *Tratado del descubrimiento de las Indias y su Conquista*, capítulo XXXXII.

dente Netzahualpilli, y un cronista[4] deudo suyo, nos informa que al morir su padre se dice lo designó para heredar el señorío, pero otros hermanos le precedieron en el cargo, hasta que el año de 1531 sucedió a don Hernando Cortés Ixtlilxochitl, que tanto contribuyó en la Conquista para ayudar a los españoles.

Don Carlos, en realidad, no fue entonces sino un simple cacique. Habíase criado bajo la protección y en casa de Hernán Cortés, y cuando vinieron los primeros frailes franciscanos, le bautizaron, le doctrinaron y le educaron con esmero, pues sabía escribir, y le tuvieron bajo su amparo hasta que recibió el señorío y gobernación de sus sojuzgados indios.

Sea, como él dice en sus declaraciones y defensas, que ambicionasen sus émulos el cacicazgo de Tetzcoco, que le tuviesen a mal sus energías y severidades para gobernar y castigar los abusos y vicios de sus súbditos, o que él en realidad no se hubiese convertido de corazón a la religión de los castellanos y tratase de renovar el culto de sus antepasados, y sobre todo, que echase de menos las antiguas leyes y costumbres y la libertad e independencia de sus mayores, lo cierto es que el año de 1539 se vió acusado por idólatra y amancebado, ante su Señoría Reverendísima don fray Juan de Zumárraga, primer obispo de México e inquisidor apostólico.

Los cronistas del siglo en que vivió y los inmediatamente posteriores le acumulan que hacía sacrificios, «porque había tenido revelación del demonio que había de haber mucha pestilencia en la tierra» y un ilustrado historiador moderno, que confiesa no haber conocido la causa formada a don Carlos, en su marcada simpatía por el primer obispo de México, afirmó que éste procedería con las luces y conocimiento de los hechos, y que la verdad era «que el delito del Cacique pasaba mucho de idolatría disculpable en un converso, y era digno de la pena capital, si no por la Inquisición en la hoguera, a lo menos por la autoridad civil en la horca. Diez y nueve años después de la conquista, nadie podía ignorar, y menos un señor de Tetzcoco, que los sacrificios humanos. eran asesinatos

---

[4] Ixtlilxochitl, *Historia Chichimeca*, cap. LXXV.

y que habían de ser severamente castigados sus autores. A pesar de la ilimitada libertad religiosa de nuestros días, no creo que saliera ileso de las manos de la justicia el indio que volviera al culto de Huitzilopochtli y le honrara derramando sangre humana».[5]

Las «luces y conocimiento» de los hechos que consigna la causa, darán á cada uno la razón, al reo severamente castigado o al entusiasta admirador del juez inquisidor, y la imparcialidad y sereno juicio de los lectores, fallará si hubo en realidad fundamento para atribuir a Don Carlos, humanos sacrificios.

Concluído el proceso, entregado como hemos dicho el culpable a la justicia del orden común, he aquí cómo consigna y cuenta otro cronista indígena el delito y ejecución de don Carlos.

«Entonces –dice– murió y fue quemado don Carlos. . . tlatohuani de Tetzcuco-Aculhuacán; había señoreado durante ocho años; era también uno de los hijos de Necahualpilli Acamapichtli; fue de orden de Don Juan de Zumárraga, primer obispo de México, que fue quemado Don Carlos. . . que era a la sazón fiscal de Tetzcuco. Con él acabó la idolatría, porque él no la había abandonado, pues así se le atestiguó; adoraba los demonios que desde hacía mucho tiempo eran objeto de la devoción de los antiguos; se dice que los había juntado e colocado alrededor de su jardín.»[6]

El cronista indígena oyó á los enemigos del culpado o era un inocente creyente de los persuadidos por los misioneros para tomar como efigies del mismo diablo a las deidades falsas de piedra, que un tío de don Carlos, colocara en la huerta de su casa; y el cronista indígena asentaba una falsedad mayúscula, al asegurar que con Don Carlos había acabado la idolatría, pues ésta continuó oculta, persistió durante mucho tiempo, y aun hoy día subsiste en los pueblos de indios, solapada y paliada, aunque sin ofrendas sangrientas como en los tiempos primitivos.[7]

[5] García lcazbalceta, *op. cit.*, pág. 150.

[6] Chimalpáin, *Anales* publicados por Rémi Siméon, pág. 239.

[7] No hace mucho tiempo le trajeron al señor Arzobispo de México, Alarcón, una preciosa cabeza de un *Cuauhtli* que adoraban los indios, en el estado de Morelos.

Si el señor Zumárraga quiso hacer un ejemplar con don Carlos, si logró que muchos indios, como dice otro cronista, quemaran por temor de sus justicias las pinturas jeroglíficas que se habían escapado de la destrucción, y que entregaran ó destruyeran ellos mismos, ídolos y aun esculturas que nada tenían que ver con el culto, no consiguió, empero, todo lo que se proponía en su grande actividad de propagandista del cristianismo; porque poco después de muerto el descendiente infeliz de Netzahualcoyotl, cierto religioso agustino, fray Antonio de Aguilar, descubría ídolos en una cueva, y a los indios conversos y no conversos que continuaban adorándolos, les predicó y amonestó para que los entregasen a su Señoría Reverendísima, así como otros útiles de sacrificios, y descubriesen quiénes los tenían, y «que si no los daban, é su Señoría los descubriese ó supiese de ellos por otra parte, que los castigaría, y *que se acordasen de Don Carlos y otros que su Señoría había castigado por ello...*»

Hizo más el fraile Antonio de Aguilar. Ya no con amonestaciones sino con rigor procedió contra los culpables, y él propio refiere que «por poner temor» entre los otros indios «azotaron a Tezcacoacatl y a Collín, carpintero, que no era cristiano, porque habían tenido aquellos ídolos e a otros que no eran cristianos y bautizados...»[8]

Cuando se supo en España la ejecución de don Carlos, y quizá estos otros castigos, «no pareció bien por ser rezin convertidos; y así se mandó que contra los yndios no procediere el Santo Oficio, sino que el ordinario los castigase.»[9]

En efecto, a poco tiempo se recibió una carta del señor inquisidor general, escrita en Madrid en 22 de noviembre de 1540 y diri-

[8] Véase el Apéndice donde se publica el único fragmento del proceso formado á los indios de Ocuila, que se conserva en el Archivo Nacional con la fecha errada de 1526, y que de seguro no se formó sino hacia 1540, pues se alude en él a Don Carlos que había sido ejecutado en 1539.

[9] Suárez de Peralta, *op. cit.*, pág. 270 del mismo capítulo ya citado. Parece también que se extralimitó el señor Zumárraga en sus facultades, porque existe una cédula de 15 de octubre de 1538, en que se mandaba que en los delitos de fe de los indios fuera juez el Ordinario; pero de todos modos la prohibición quedó incluída en la Ley 35, tit. I°, lib. VI de la *Recopilación de Indias*.

gida al Ilustrísimo señor obispo de México, «sobre el modo que se había de tener en procesar contra los indios que se hubiesen bautizado y después idolatrasen»; y otra carta del mismo inquisidor general y de la misma fecha, «reprendiendo al Ilustrísimo señor Zumárraga por haber hecho proceso contra un indio cacique por idólatra y haberlo sentenciado a muerte y quemándolo.»[10]

Fué, por consiguiente, Don Carlos, a modo de redentor de su raza, pues en lo sucesivo ya los indígenas no cayeron bajo la tremenda jurisdicción del Santo Oficio, y al exhumar hoy su proceso olvidado, cuando México conmemora la primera centuria de su emancipación política, no se puede menos que recordarle con simpatía, porque según consta en su causa, dijo suspirando, refiriéndose a los que habían concluído con el gobierno y dominio de sus antepasados:

«¿Quiénes son estos que nos deshacen, e perturban, e viven sobre nosotros, e los thenemos a cuestas y nos sojuzgan? Pues aquí estoy yo, y allí está el Señor de México Yoanize, y allí está mi sobrino Tezapille, Señor de Tacuba, y allí está Tlacahuepantli, Señor de Tula, que todos somos iguales y conformes y no se ha de igualar nadie con nosotros; que esta es nuestra tierra, y nuestra hacienda y nuestra alhaja, y nuestra posesión, y el Señorío es nuestro y a nos, pertenece, y quién viene aquí a sojuzgarnos, que no son nuestros parientes ni de nuestra sangre y se nos igualan, pues aquí estamos y no ha de haber quién haga burla de nosotros... »

¡Grito doloroso e impotente, digno de la altivez y rebeldía del representante de una raza desgraciada y muerta, sólo redimida por él de la potestad del Santo Oficio; pero grito que resuena bien en estos instantes en que toda la Nación hace la apoteósis de los que iniciaron nuestra independencia!

México, septiembre de 1910.

---

[10] García Izcabalceta, *op. cit.*, Apéndice núm. 50, pág. 237. Además se le retiró el titulo de Inquisidor al señor Zumárraga de una manera indirecta, pues el 18 de julio de 1543 se expidió a favor del visitador don Francisco Tello de Sandoval.–Puga, *Cedulario*, tomo 1° pág. 452.

PROCESO CRIMINAL

DEL

SANTO OFICIO DE LA INQUISICION

Y DEL FISCAL EN SU NOMBRE

CONTRA

DON CARLOS, INDIO PRINCIPAL DE TEZCUCO

SECRETARIO: MIGUEL LOPEZ.

(57 FOJAS DEL ORIGINAL Y 46 DE LA COPIA SIMPLE:
ARCHIVO GENERAL Y PÚBLICO DE LA NACIÓN.—Siglo XVI.—INQUISICION.
Procesos por proposiciones heréticas.—2.—PRIMERA PARTE.)

PROCESO INQUISITORIAL DEL CACIQUE
DE TETZCOCO

I.– Auto cabeza de proceso.[1]

En la iglesia de Santiago de Tatelulco de esta cibdad de México, Domingo veinte é dos días del mes de Junio, año del nacimiento de nuestro Salvador Jesu. Xpo de mill é quinientos é treinta é nueve años, ante el Reverendísimo Señor Don Fray Joan de Zumárraga, por la gracia de Dios é de la Santa Yglesia de Roma, Primer Obispo de esta dicha cibdad de México, del Consejo de Su Magestad y Inquisidor Apostólico contra la herética pravedad é apostasía en esta dicha cibdad y en todo su obispado, y en presencia de mí Miguel López de Legazpi, Secretario del Santo Oficio de la Inquisición, paresció presente, Francisco, indio, natural de Chiconabtla, siendo intérpretes el Padre Fray Antonio de Cibdad Rodrigo, Provincial de la orden del Sr. Sant Francisco en esta Nueva España, é su compañero Fray Alonso de Molina, é Fray Bernardino, letor del Colegio de Santiago, por lengoa de los cuales dixo: que viene á denunciar y á decir lo que sabe de Don Carlos, principal é vecino de Tezcuco, casado, que por otro nombre se dice Chichimecatecotl, y es que puede haber veinte días, poco más ó menos, que haciendo ciertas procesiones é rogativas é disciplinas en el pueblo de Chiconabtla, por consejo del Padre Provincial, por el agua, y porque moría mucha gente, el dicho Don Carlos fué al dicho pueblo de Chiconabtla, á ver á su hermana, que es mujer del Cacique del dicho pueblo; é como el dicho Don Carlos, vido hacer las dichas procesiones, é que en aquellos días

---

[1] Este encabezado y los siguientes así como la puntuación, no existen en el original, pero se han puesto para facilitar la lectura del proceso. Además, se han desatado todas los abreviaturas y sólo se han conservado de su ortografía los signos que representan sonidos anticuados.

no comían sino pescado, murmuró de ello diciendo que para qué hacían aquello; y después de pasadas las procesiones, el dicho Don Carlos llamó á éste que declara diciendo que le quería hablar, y ido adonde él estaba, el dicho Don Carlos, delante de Don Alonso su cuñado y Don Cristóbal, y de otros dos principales de Tezcuco, que iban con el dicho Don Carlos, le dixo á este que declara, reprendiéndolo mucho: "pobre de ti, en que andas con estos indios, é qué es esto que haces, piensas que es algo lo que haces"–dándole á entender que era inorante é simple, y que no sabía lo que se hacía– "quieres tú hacer creer á estos lo que los padres predican é dicen, engañado andas, que eso que los frailes hacen, es su oficio de ellos hacer eso, pero no es nada; ¿qué son las cosas de Dios? no son nada: por ventura hallamos lo que tenemos, lo escripto de nuestros antepasados: pues hágote saber que mi padre é mi agüelo fueron grandes profetas, é dixieron muchas cosas pasadas y por venir, y ninguna dixieron cosa ninguna de esto, y si algo fuera cierto esto que vos é otros decis de esta dotrina, ellos lo dixieran, como dixieron otras muchas cosas, y eso de la dotrina xpiana no es nada, ni en lo que los frailes dicen no hay cosa perfecta: más hay que eso, que eso que el visorey y el obispo y los frailes dicen, todo importa poco y no es nada, sino que vos é otros lo encarecéis y autorisáis y multiplicáis `[con] muchas palabras, y esto que te digo yo lo sé mejor que tú porque eres mochacho; por eso déjate de esas cosas que es vanidad, y ésto dígote, como de tío ti sobrino, y no cures de andar en eso ni andar haciendo creer a los indios lo que los frailes dicen, que ellos hacen su oficio, pero no porque sea verdad lo que dicen; por eso quítate de eso y no cures de ello, sino mira por tu casa y entiende en tu hacienda:" y otras muchas cosas, y reprensiones y palabras contra nuestra santa fee cathólica le dixo el dicho Don Carlos; las cuales dichas pláticas este que declara dará por escripto, como pasó; á las cuales dichas pláticas el dicho Don Alonso, Cacique de Chiconabtla, respondió muy desabrido, diciendo al dicho Don Carlos que no se hablase más de ello, porque no era bien hecho; y este que depone, respondió al dicho Don Carlos: "cómo dices eso, no sabes que estas cosas son de Dios y son santas y no conoces ni te acuerdas de lo que el Padre Provincial nos ha dotrinado y predicado, que es Padre nuestro, y nos ha criado á todos ¿por ventura es pecado lo que el visorey y el obispo nos mandan? pues yo tengo é creo lo que la iglesia tiene y cree, porque es santo é bueno," y otras muchas cosas; y todos los que estuvieron presentes á las dichas pláticas, quedaron escandalizados de lo que el dicho Don Carlos decía; y que después el dicho Don Carlos se apartó con Don Alonso su cuñado y tuvo cierta plática; y después tomó asimismo aparte el dicho Don Carlos á su hermana, mujer del dicho Don Alonso, y estuvo platicando con ella y que no sabe lo que pasaron, más de que después el dicho Don Alonso y su mujer, dixeron á este que depone, que el dicho Don Carlos les había dicho que debían de matar á este que declara y otros dos hijos del dicho Don Alonso, porque estaban muy adelante en las cosas de Dios, y que se guardasen de él, y que lo que más pasaron, ellos lo saben y lo dirán; y juró ser así verdad todo lo suso dicho, y que no lo dice de malicia ni por odio ni enemistad que tenga al dicho Don Carlos, sino porque pasó así en hecho de verdad, y por descargo de su conciencia, é porque le paresció muy mal lo que el dicho Don Carlos decía, por ser como es contra Dios é contra nuestra santa fee cathólica; todo lo cual dixeron los dichos intérpretes, que lo dice el dicho Francisco, indio, y lo firmaron y asimismo firmó el dicho Francisco.–Fr. Antonio Civitatencis. Provincialis. Mr. Fray Alonso de Molina.–Fray Bernardino de Sahagún.–Francisco Maldonado.– (Rúbricas).

II.– Prisión de Don Carlos.

E luego su Señoría Reverendísima, vista la dicha información, mandó dar su mandamiento para prender al dicho Don Carlos, el cual se dió en forma, dirijido al nuncio é alcaide del Santo Oficio.

III.– Declaración de Cristóbal, indio de Chiconautla.

E después de lo susodicho, en el pueblo de Chiconabtla, dos dias del mes de Jullio del dicho año de mill é quinientos é treinta é nueve años, su Señoría Reverendísima, por ante mí el dicho Secre-

tario, hizo parescer á Cristóbal, indio, natural é vecino del dicho
pueblo de Chiconabtla, del cual fué tomado é rescebido juramento,
segund forma de derecho, y él lo hizo é prometió de decir verdad,
so cargo del cual le fueron hechas ciertas preguntas por lengoa del
Padre Joan González, clérigo, intérprete, é visitador de su Señoría,
del cual asímismo fué tomado juramento en forma, é so cargo de él
prometió de interpretar é declarar bien é fielmente en todo lo que
pudiese é se le entendiese; é lo que se le preguntó é dixo é respondió por lengoa del dicho interprete, es lo siguiente:

Preguntado cómo se llama, dixo que Xpoval y que es natural
de Chiconabtla, y casado en el dicho pueblo;

preguntado, si conosce á Don Carlos, el de Tezcuco, que por
otro nombre se dice Chichimecatecotl: dixo, que si (lo) conosce;

preguntado, si es verdad que en el dicho pueblo de Chiconabtla, hicieron ciertas procesiones é disciplinas, dixo que si, que es
verdad, que puede haber veinte é un dias, poco más ó menos, que
en el dicho pueblo hicieron ciertas procesiones, ayunos é disciplinas, por agua;

preguntado, si es verdad que en los días que hicieron las dichas
procesiones vino al dicho pueblo de Chiconabtla y estuvo en él, el
dicho Don Carlos de Tezcuco: dixo, que si vino y estuvo en el dicho pueblo cuando se hicieron las dichas procesiones;

preguntado, si es verdad que el dicho Don Carlos les reprehen-
dió por que hacían las dichas procesiones, deciendo que no era bien
hecho ayunar ni comer pescado ni hacer las dichas disciplinas y
procesiones, é que con estas cosas traían engañados los maceguales, é qué otras cosas le oyó decir este testigo al dicho Don Carlos
contra nuestra Santa fee cathólica: dixo, que lo que pasa es, que el
día que acabaron de hacer la procesión, que fué un día Martes, por
la mañana, el dicho día en la tarde, de parte de Don Carlos, cacique
del dicho pueblo, les fueron á llamar á este testigo, y (á) Francisco,
indio, que estaba en el barrio de Yopico; y fueron á su llamado á
la posada del dicho Don Alonso, donde posaba el dicho Don Carlos, y allí les dieron de comer, y después de haber comido, el dicho
Don Alonso les dixo que fuesen á veer al dicho Don Carlos que les
buscaba; y este testigo y el dicho Don Francisco fueron al aposento

donde el dicho Don Carlos estaba, y estando en el dicho aposento, vino el dicho Don Carlos, dos principales de Tezcuco, que se dicen Zacanpatl, y Coaunochtezi, y otro indio que se dice Poyoma, de Tezcuco, y Don Alonso, cacique de Chiconabtla y el dicho Francisco, y este testigo y Melchior Aculnauacatl, principal de Chiconabtla, y otros dos indios del dicho pueblo: el dicho Don Carlos mandó salir del dicho aposento á estos dos indios protescos [sic], porque no eran muy principales, y preguntó á Melchior si era principal, y le dixieron que sí, y el dicho Don Carlos le dixo que se estuviese; entonces el dicho Don Carlos les dixo que se allegasen á él, y estando con él juntos, les comenzó á decir: "agora aquí estáis, y está mi sobrino el Señor, y quiero os decir una cosa que dexaron nuestros antepasados, nuestros agüelos y nuestras agüelas, y por ventura lo entenderéis: ¿y por ventura no yo también estaba en la iglesia de Dios y he estado en todas partes?" Y volviendo al Francisco, le dixo: "hermano, seamos así ¿qué verdad es la divinidad que deseamos? quizá es nada; aquí thenemos tres maneras que son cartillas, romance, y gramática, y en la cartilla está el "a b c," y "pater noster," y "ave Maria, credo, y salve regina," artículos y mandamientos ¿por ventura fenece aquí todo? no hay más que hacer: los padres de Sant Francisco tienen una manera de hábito, y los de Santo Domingo de otra, y los de Sant Agustín de otra, y los clérigos de otra, y cada uno de ellos enseña á su manera, pues nuestros pasados también fueron profetas y supieron lo pasado y por venir, y nunca dixieron quiénes habían de venir;" y otras muchas cosas les dixo el dicho Don Carlos, persuadiendo al dicho Francisco que lo que oía de los frailes que no lo enseñase: "é si alguna cosa te dixiere el visorey, el obispo, el provincial, no lo digas á nadie, sino guárdalo para tí;" y que las pláticas del dicho Don Carlos é las cosas que les dixo, le paresció muy mal á este testigo é que reñió con el dicho Francisco el dicho Don Carlos, deciéndole: "qué quieres hacer, sabéislo bien, hermano; cata que te lo estorbo y te lo riño;" persuadiendo á que no enseñase la dotrina xpiana ni les quitase ni estorbase á los indios sus vicios é costumbres antiguas, sino que les dexase vivir como á sus antepasados: "y mira que esto te digo aquí entre nosotros que somos principales:" é que esto es lo que se le acuerda de las dichas pláticas, á las cuales estuvieron presentes los dichos Don Alonso y el dicho Don Francisco, y Melchior y los tres de Tezcuco, que de suso tiene declarado; y que esta es la verdad y afirmóse en ello, y firmólo de su nombre, y asimismo firmó el dicho intérprete; y encargósele el secreto de lo susodicho en forma. Xpoual.–Joan González." (Rúbrica).

Otro si. Dixo el dicho Cristóbal que se le acuerda que el dicho Don Carlos les dixo cuando les dixo que lo frailes tenían cada uno su manera de enseñar: "veamos donde se dixo que tuvo principio la ley de nuestros antepasados que dexaron ¿por ventura comenzose en el cielo ó en el infierno aquello?" sea dando á entender que aquello habían de goardar é no otra cosa; y que esta es la verdad, é afirmose en ello, y el dicho intérprete lo firmó de su nombre.–Joan González. –(Rúbrica).–En cuatro de Julio del dicho año fué preso el dicho Don Carlos, por mandado de su Señoría Reverendísima, y puesto en la cárcel del Santo Oficio.

IV.– Secuestro de los bienes de Don Carlos.

E después de lo susodicho, en cuatro días del dicho mes de Julio del dicho año, en el lugar y sitio, que se dice Oztuticpac, donde es la casa de la morada del dicho Don Carlos, que es en el dicho pueblo de Tezcuco, por ante mí el dicho Miguel López, su Señoría Reverendísima mandó secuestrar los bienes del dicho Don Carlos, y para los secuestrar fué á las dichas casas de la morada del dicho Don Carlos, donde halló á Doña María, su mujer del dicho Don Carlos, é otras personas; y en las dichas casas se hallaron cuatro arcos de palo, y diez ó doce flechas, y un libro ó pintura de indios, que dixeron ser la pintura ó cuenta de las fiestas del demonio que los indios solían celebrar en su ley, é una cama con ciertas mantillas de poca importancia que se dió á la dicha Doña María, é una heredad de sementera de trigo, y árboles de diversas maneras, cercada junto á la dicha casa.

Así vista la dicha casa, luego su Señoría preguntó á los indios principales de Tezcuco, que presentes estaban, si tenía el dicho Don Carlos otros bienes en otra casa en el dicho pueblo, los cuales, por lengua del Padre Juan González, clérigo, dixieron que el dicho Don Carlos tenía otra casa, á la cual fué su Señoría, por ante mí, el dicho Secretario y testigos de yuso escriptos, juntamente con algunos de los dichos indios principales que la fueron á mostrar; y en las dichas casas, andando buscando lo que en ellas había, se hallaron dos adoratorios que dixeron ser de ídolos, en que había dos concavidades á manera de capillas, baxas hasta los pechos, poco más ó menos; é junto á ellas, un pilar hecho de piedra, pegado á una pared, en el cual dicho pilar estaban ciertas caras, é figuras de ¡dolos de piedra; y en otro adoratorio estaba una casita á manera de capilla antigua, y junto á ella, por las paredes, algunas figuras de ídolos de piedra; y unos pocos de cabellos cortados; lo cual se derribó por ver lo que había, y en los dichos adoratorios y en el dicho pilar, que estaba hecho en el uno de ellos, dentro de él se hallaron los ídolos é figuras siguientes: dos figuras de piedra que dixeron ser é que se llamaba Quezalcoatl, y otras dos figuras como de mujeres que dixeron se llamaban Xipe, y otro figura que se dice Coatle, y otras cinco figuras á manera de culebras enroscadas que dixeron se llamaban Tecoatl, é otra figura que se dixe Tecoacuilli é otra que se dice Cuzcacoatltli, é otra que se dixe Tlaloc, y otras tres que se dicen Chicomecuatli, y otras dos figuras que se dicen Cuatl, é otra que se dice Cuanacatl, é otras dos piedras á manera de una capillita, entalladas, que dixeron ser Cues y que la una era casa de Quelzacoatl, y más otras treinta figuras de piedra de diversas maneras que los indios dixeron que no saben como se decían ni las conocían; todas las cuales dichas figuras eran de piedra, ecepto una que era de barro cocido; y á los sacar y tomar de los dichos ídolos estuvieron presentes, el Receptor Santiago López de Aburto, é Cristóbal de Canejo, é Martín de Buensoto, é Don Lorenzo, Gobernador de Tezcuco, é Don Francisco é otros principales del dicho pueblo; los cuales dichos principales, como dicho es, dixieron é declararon los nombres de los dichos ídolos por lengoa del dicho Joan González, clérigo que así mismo fué presente á todo lo suso dicho; todos los cuáles dichos ídolos é figuras, su Señoría mandó llevar á la cibdad de México, para hacer sobre ellos justicia, é lo entregó todo ello al dicho Don Lorenzo, Gobernador de Tezcuco: testigos los dichos.

V.– Declaración de Pedro, indio de Tezcuco.

Y luego incontinenti, el dicho Señor Obispo, Inquisidor susodicho, por ante mí el dicho Miguel López, Secretario, para saber la verdad é como pasó lo suso dicho, para hacer en el caso justicia hubo é tomó la información siguiente:

E luego su Señoría hizo parescer ante sí á Pedro, indio, vecino é natural del dicho pueblo de Tezcuco, del cual fué tomado é rescibido juramento segund forma de derecho, y él lo hizo y prometió de decir verdad, so cargo del cual se le preguntó é dixo lo siguiente:

Preguntado, cómo se llama y de dónde es natural: dixo que se llama Pedro, y que es natural de Tezcuco, é vecino, y casado, y que ha treinta años, poco más ó menos, y que es criado del dicho Don Carlos: é que es Xpiano bautizado;

preguntado, si conosce á Don Carlos: dixo, que sí le conosce, porque se criaron ambos juntos, y porque el dicho Don Carlos es sobrino de este testigo, hijo de su hermana de este testigo;

preguntado, si estuvo presente el dicho día en una casa donde su señoría halló á ciertos ídolos de piedra: dixo, que si estuvo presente, que los vido sacar los dichos ídolos;

preguntado, cuya es la casa donde su Señoría halló los dichos ídolos: dixo, que la dicha casa era de su agiielo del dicho Don Carlos, y al presente es del dicho Don Carlos, que sucedió en la dicha casa;

preguntado, qué tanto tiempo ha que el dicho Don Carlos posee la dicha casa: dixo, que desde que fué niño es suya la dicha casa, porque siendo niño, el dicho Don Carlos, le dió su padre de este testigo aquella casa, y después acá hasta agora siempre la ha tenido é poseído el dicho Don Carlos por suya é como cosa suya la dicha casa;

preguntado quién ha vivido y vive al presente en las dichas casas: dixo, que su padre deste testigo vivió en las dichas casas mucho tiempo, que fué agiielo del dicho Don Carlos, porque eran suyas las dichas casas, y él las dió al dicho Don Carlos su nieto, y después de muerto su padre de este testigo, las goardó cierto tiempo un tío del dicho Don Carlos, que se decía Bernabé Tlachiachi, el cual murió puede haber ocho años, poco más ó menos, y después vivió en ellas cierto tiempo el dicho Don Carlos, y de dos años á esta parte, ha estado é vivido este testigo en las dichas casas, por el dicho Don Carlos é con su licencia, y porque el dicho Don Carlos le mandó que fuese á vivir allí para goardar las dichas casas, porque nadie no se las deshiciese;

preguntado, quién puso los dichos ídolos en las dichas casas y qué tanto tiempo ha: dixo, que no lo sabe, porque cuando este testigo fué á vivir á las dichas casas, ya estaba así como su Señoría lo halló el dicho día;

preguntado, si vido este que declara, los dichos ídolos en las dichas casas: dixo, que los que estaban fuera en la pared sí veya y los miraba como á piedras, pero no sabía otra cosa, porque este testigo tenía aquella casa para dormir nomás y que de día no estaba allí;

preguntado, si iba el dicho Don Carlos muchas veces á las dichas casas y si entraba á los dichos adoratorios á ver los dichos ídolos y qué les ofrescía: dixo, que la dicha casa era del dicho Don Carlos y se acordaba de ella, y muchas veces iba allí á verla, y se andaba por ahí mirándola, y luego se volvía, é que no le vido ofrescer ni hacer otra cosa.

preguntado, qué otras personas entraban en las dichas casas á ver los dichos ídolos y ofrescerles: dixo, que no entraba nadie, é que con el dicho Don Carlos iban algunas veces, Gabriel Xaltemo, y Juan Mixcoatl, y Pablo Nantle, y Pablo Chochocoatl, y Andrés Aculoa, y que no iban otros ningunos; é que estos todos andaban por toda la casa, é que así mismo han entrado en las dichas casas, algunas veces Antonio Tlatuxcalcatl, y Bernarbé Tlalchachi, y Tacacoatl, é Juan Tlaylotlac, y Lorenzo Mixcoatlaylotlac, y Antonio Azcametl, y Tlacuxcaltl Xiuimito, porque todos éstos son tíos del dicho Don Carlos, pero que ninguno de ellos no ofrescía á los dichos ídolos más de que los vían allí; y que es verdad que antes que viniesen los Xpianos, era aquella casa, casa de oración, y allí se juntaban á hacer sus fiestas y á rogar á sus dioses lo que querían, pero que después que vinieron los xpianos, nunca más lo han hecho.

preguntado, qué tanto tiempo ha que el dicho Don Carlos no oye misa: dixo, que no sabe;

preguntado, cuántas mancebas tiene el dicho Don Carlos: dixo, que no lo sabe, porque este que declara, no entra donde están sus mujeres:

preguntado, si tiene por manceba, el dicho Don Carlos, á una sobrina suya, que se dice Doña Inés, dixo: que es verdad que el dicho Don Carlos solía tener por manceba á la dicha Doña Ynés su sobrina, y tuvo en ella una hija; pero que puede haber dos años, poco más ó menos, que oyó decir que el dicho Don Carlos, la había dejado; y que esta es la verdad y lo que deste caso sabe, para el juramento que hizo, é afirmóse en ello, y el dicho intérprete lo firmó de su nombre.–Juan González.–(Rúbrica.)

VI.– Declaración de Gabriel, indio de Tezcuco.

E después de lo suso dicho, este dicho día, fué tomado é recibido juramento, segund forma de derecho, de Grabiel, indio, natural que díxo ser de Tezcuco, el cual lo hizo en forma de derecho é prometió de decir verdad, é so cargo á la cual, le fué preguntado é dixo por lengua del dicho Juan González, clérigo, intérprete, lo siguiente:

Preguntado, como se dixe: dixo, que Gabriel Xaltemo, y que es natural de Tezcuco, é que no es casado, é que es de edad de veinte cuatro ó veinte cinco años, poco más ó menos, y que es xpiano bautizado;

preguntado, si conoce á Don Carlos y de qué tanto tiempo á esta parte: dixo, que sí le conosce de cinco años á esta parte;

preguntado, si estuvo presente ahí dicho día, en la casa donde su Señoría halló ciertos ídolos de piedra: dixo, que sí estuvo presenta é vido deshacer la pared y pilares de donde se sacaron los dichos ídolos;

preguntado, cuya es la casa donde se hallaron los dichos ídolos; dixo, que Don Carlos solía vivir en las dichas casas y después que él salió de ellas, vive en ellas Pedro Yzcutecatl, tío del dicho Don Carlos;

preguntado, cuántas veces ha estado este que declara en las dichas casas: dixo, que algunas veces ha ido éste que declara á las dichas casas con el dicho Don Carlos, é otras veces sin él, porque el dicho Pedro, que vive en las dichas casas, es tío de este testigo;

preguntado, qué les ofrescía el dicho Don Carlos á los dichos ídolos en las dichas casas: dixo, que no les ofrescía cosa ninguna, más de que entraba donde estaban los dichos ídolos é miraba por allí é luego se salía afuera;

preguntado, si vido este testigo los dichos ídolos en las dichas casas: dixo, que sí vido los que estaban en la haz de la pared, hacía fuera, como piedras quebradas puestas en la pared, é no vido más;

preguntado, quién puso los dichos ídolos en la dicha pared: dixo, que oyó decir, á Bernabé Tlalchachi, indio, tío de Don Carlos, que Lorenzo Tlaxlotla sabía quién puso los dichos ídolos en la dicha pared;

preguntado, qué otras personas ha visto entrar en la dicha casa á adorar los ídolos é ofrescerles: dixo, que no, á nadie;

preguntado, cuántas mancebas tiene el dicho Don Carlos: dixo, que no lo sabe, más de que solía tener por manceba á una sobrina suya, que se dice Doña Inés, la cual parió allí, y después ha oído decir que la dexó; é que esta es la verdad para el juramento que hizo, é afirmóse en ello, y el dicho intérprete lo firmó de su nombre.– Juan González.–(Rúbrica).

VII.– Declaración de Bernabé Tlalchachi.

El dicho Bernabé Tlalchachi, testigo recibido para información de lo que dicho es, habiendo jurado segund forma de derecho, el cual lo hizo é prometió de decir verdad, é so cargo dél, por lengoa del dicho padre Juan González, se le preguntó é dixo lo siguiente:

preguntado, si estuvo presente allí dicho día, en la casa donde el suso dicho Señor Obispo halló ciertos ídolos, este que declara, é vido los dichos ídolos é adoratorios de donde se sacaron; dixo, que sí estuvo presente é lo vido todo;

preguntado, cuya es la casa donde se hallaron los dichos ídolos: dixo, que la dicha casa fué de Tlalchachi, agiielo de Don Carlos, y que agora es de sus descendientes, y que el dicho Don Carlos solía vivir en la dicha casa, y que agora vive en ella Pedro Yzcutecatl, que el dicho Don Carlos le puso por guardia de las dichas casas;

preguntado, quién puso los dichos ídolos en las dichas casas é adoratorios: dixo, que cuando destruyeron los dichos ídolos, Tlalchachi Coatecoatl, tío de Don Carlos, que vivía en las dichas casas, puso allí aquellos ídolos, jugando, y que á la sazón estaba é vivía con él Lorenzo Mixcoatlaylotlan, y que este lo sabrá porque el dicho Tlalchachi es muerto;

preguntado, qué personas estuvieron á adorar dichos ídolos y ofrecerles: dixo, que no lo sabe, que si fuera su padre de este testigo, él lo supiera, pero no lo sabe ni lo ha visto;

preguntado, qué tanto tiempo ha que el dicho Don Carlos no oye misa: dixo, que días ha que este testigo no ha visto ir á misa al dicho Don Carlos;

preguntado, cuántas mancebas tiene el dicho Don Carlos: dixo, que no lo sabe, más de que solía tener por manceba á una sobrina suya, pero que no sabe si está agora con él; y que esta es la verdad para el juramento que hizo, é afirmóse en ello, é no firmó porque dixo que no sabia escribir, y el dicho intérprete lo firmó de su nombre, y encargósele el secreto en forma.– Juan González.–(Rúbrica).

VIII.- Declaración de Doña Inés, natural de Iztapalapan.

E después de lo suso dicho, en este dicho día, el dicho señor Obispo, por ante mí el dicho Secretario, hizo parescer ante sí á la dicha Doña Inés, de la cual fué tomado é rescibido juramento en forma debida de derecho, el cual ella lo hizo é prometió de decir verdad, é so cargo de él, le fueron hechas ciertas preguntas, por lengua del dicho Juan González, clérigo, intérprete, las cuales, con lo que á ellas respondió son las siguientes

Preguntada, cómo se llama y de dónde es natural: dixo, que Doña Inés, y que es natural de Ixtapalapa;

preguntada si es xpiana: dixo, que sí, que es xpiana bautizada, que ha quince años, poco más ó menos, que es bautizada;

preguntada, si conosce á Don Carlos que por otro nombre, se dice Chichimecatecotl, principal de Tezcuco: dixo, que sí le conosce de siete años á esta parte, poco más ó menos;

preguntada, si es parienta ésta que depone del dicho Don Carlos: dixo que sí, que es su tío el dicho Don Carlos, hermano de su madre de esta que depone;

preguntada, si ha sido casada esta que depone: dixo, que no;

preguntada, si ha tenido que hacer carnalmente el dicho Don Carlos con esta que depone y si es su manceba: dixo, que puede haber siete años, poco más ó menos, que el dicho Don Carlos hubo á esta que declara, y que tuvo acceso con ella carnalmente, y que esta que depone parió dos veces del dicho Don Carlos, su tío, dos hijas, una de las cuales es muerta y que la otra tiene consigo esta declarante; y que el dicho Don Carlos la tuvo por manceba tiempo de tres años, poco más ó menos á esta que declara, y después la dexó y se apartó de ella; é que después que se casó el dicho Don Carlos, se ha echado con esta que declara solas dos veces, é no más;

preguntada, si ha oído predicar á los padres que es pecado grave tener acceso carnal con pariente ó parienta: dixo, que sí ha oído muchas veces, y que puede haber cinco años sabe que es pecado, pero que ofendió á Dios.

preguntada, si la mantiene y da de comer el dicho Don Carlos: dixo, que maíz le da para su hija, é no otra cosa, é que no ha más de cuarenta días que vino de Yztapalapa, de donde es natural, é que vino á ver unas sementeras que tiene en este pueblo de Tezcuco, que eran de su madre; é que esta es la verdad para el juramento que hizo, y afirmóse en ello, é no firmó porque dixo que no sabía escribir, y el dicho intérprete lo firmó de su nombre.– Juan González. – (Rúbrica).

IX.– Amonestación y declaraciones del Gobernador é indios principales de Tezcuco.

E despúes de lo suso dicho, en este dicho día, cinco días del mes de Julio del dicho año de mill é quinientos é treinta é nueve años, su Señoría Reverendísima hizo juntar ante sí al Gobernador é principales del dicho pueblo de Tezcuco, á los cuales hizo una plática por lengua del dicho Juan González, desciendo cómo su Señoría había hallado los dichos ídolos en aquella casa de Don Carlos, en prescencia de ellos todos, y en medio del pueblo; por lo cual parescía que todos ellos lo sabían é veían; y que no debía haber solo aquello, pero mucho más, por ende, que los amonestaba que si alguna persona tuviese algunos ídolos é casas de idolatría en su casa, é fuera de ella, ó supiese quién los tenía ó de ello supiese en cualquiera manera, que lo viniesen á decir é manifestar ante su Señoría, y á denunciarse de sí mismo, que los rescebiría con misericordia; é que agora verla la xpiandad que en ellos había, donde no, que lo contrario haciendo, si les probase alguna cosa, ó lo averiguase contra ellos que encubrían alguna cosa de ello, usaría de justicia; que mirásen lo que les amonestaba é apercebía; los cuales dixieron que ellos dirían la verdad de lo que supiesen. E luego su Señoría tomó sus dichos de ellos, con juramento cada uno por sí, secreta é apartadamente, en la forma é manera siguiente:

a.– Don Lorenzo de Luna, Gobernador de Tezcuco.

El dicho Don Lorenzo, Gobernador del pueblo de Tezcuco, testigo recibido para información de lo que dicho es, habiendo jurado segund forma de derecho é siendo preguntado por lengua del dicho Juan González, clérigo, intérprete, lo que acerca de este caso sabe: dixo, que lo que de ello sabe y alcanza, es que los ídolos que su Señoría halló en las dichas casas, deben ser que al tiempo que destruyeron los ídolos, algund indio recogió allí los dichos ídolos y los encerró, pero que él nunca los vido ni supo de ellos, y que puede haber setenta ó ochenta días, poco más ó menos, que vino á su noticia que llamaban al demonio en el dicho pueblo de Tezcuco, y que le invocaban; é sobre ello hizo juntar los principales del dicho pueblo, é porque no pudo saber quién era el que hacia la dicha invocación, anduvo buscando é inquiriendo si había algunos ídolos é idolatrías; é que hizo cavar é buscar á los pies de muchas cruces que estaban por los caminos, y que al pie de algunas cruces hallaron algunas navajas y pedernales, y otras insignias de sacrificios, que lo tiene en su poder; que se averiguó que muchos habían dado en poner aquello, y por ser muchos no los había osado prender; pero que si era nescesario, él nombraría las personas que supo que anduvieron en ello; y que puede haber 40 días, poco más ó menos, que vieron cierto humo en la sierra que se dice Tlalocatepetl, é invió allá á ver lo que era á un alguacíl, que se dice Pedro, el cual halló en la dicha sierra un ídolo, é copal y papeles de sacrificio con sangre é plumas, é otras cosas que los indios antiguamente tenían por costumbre de poner en los sacrificios; y unos caminantes que venían de Guaxocingo, dixeron á este testigo, cómo habían visto en la dicha sierra de Tlaloca, salir humo, é incinias de sacrificio, y que habían visto baxar de la dicha sierra hacía al camino real muchos indios de Guaxocingo, y que creían que venían de sacrificar; y entonces este testigo mandó á ciertos indios guardar en la dicha sierra, para ver quien hacía los dichos sacrificios, y para la dicha goarda repartió por barrios que lo goardasen, por semanas, y habiendo goardado una semana los de Guatinchan, fué otra semana á goardar Chiabtla, los cuales hallaron en la dicha sierra otra camada de papeles con sangre, é ídolos, y copal, é otras muchas cosas de sacrificio recién hecho; que no supieron quién lo había puesto, porque los de Guatinchan acabaron de goardar el Sábado, y los de Chiabtla fueron el Lunes adelante, y el Domingo estuvo sin goarda, y aquel día que no hubo goarda se hicieron los dichos sacrificios; é que todo lo que truxeron de la dicha sierra, y lo que se halló á los pies de las cruces, este testigo lo tiene goardado, y que esta es la verdad para el juramento que hizo, é afirmóse en ello, y firmólo de su nombre.– Juan González.–Lorenzo de Luna.–(Rúbrica).

E luego su Señoría Reverendísima mandó al dicho Don Lorenzo, Gobernador, que traiga y esiba ante él, todo lo que halló debaxo de las cruces y lo que truxieron de la sierra, para que visto, se haga en el caso lo que sea justicia.

b.– Don Francisco, indio principal del pueblo.

El dicho Don Francisco, principal del pueblo de Tezcuco, testigo rescebido para información de lo que dicho es, habiendo jurado segund forma de derecho, é siendo preguntado por lengoa del dicho intérprete lo que acerca de este caso sabe: dixo, que esta cuaresma pasada que agora pasó, hicieron buscar á los pies de las cruces, y que en muchas partes hallóse algunas navajas é perdernales como corazones, é otras cosas de sacrificios, y que cree este testigo que aquello debía de estar puesto de cuando se pusieron las cruces, agora quince años, porque parte de ello estaba podrido, como su Señoría lo podría ver, que lo tiene Don Lorenzo, Gobernador del dicho pueblo; y que puede haber treinta días, poco más ó menos, en una sierra que se dice Tlalocatepetl, que está de Tezcuco 3 leguas, poco más ó menos, vieron salir humo é inviaron á saber lo que era, y que hallaron papeles con sangre, fresca, é caracoles, é una piedra chalchihui, é unas mantillejas, y ole, y plumas, é otras cosas de sacrificios, é los truxieron todo ello; é lo hizo goardar el Gobernador; y que ha oído decir que los de Guaxocingo hacen limpiar é limpian los caminos, como antiguamente lo solían hacer á las casas del demonio, que es mala señal; y que lo del monte que de suso tiene dicho, que también era de los de Guaxocingo, y que de lo de la casa que su Señoría halló los ídolos, este testigo no lo supo, ni nunca lo vido ni sabe quien los puso; y que esta es la verdad para el juramento que hizo, y afirmóse en ello, y el dicho intérprete lo firmó de su nombre.–Joan González.–(Rúbrica).

c.– Lorenzo Huizanaualtlailotla.

El dicho Lorenzo Huyzanavaltlaylotla, principal que dixo ser del pueblo de Tezcuco, testigo rescibido en la dicha información, habiendo jurado segund forma de derecho, é siendo preguntado lo que acerca de esto sabe por lengoa del dicho intérprete: dixo, que lo que de ello sabe es que esta cuaresma pasada que agora pasó, el Gobernador é principales de dicho pueblo de Tezcuco, se juntaron é hicieron buscar ídolos é cosas de sacrificio, y que á los pies de algunas cruces, hallaron enterrados algunos pedernales é pedrezuelas é otras cosas de sacrificios, y lo dieron á goardar todo ello al Gobernador, y que su Señoría lo podía veer; y que después de esto fué Don Hernando, Alcalde que es del dicho pueblo, con ciertos indios al monte, é de allá truxo ciertas pedrezuelas como corazones, é otras cosas de sacrificios, que dixo haber hallado enterrados, que así mismo tiene el dicho Gobernador: y que puede haber treinta días, poco más ó menos, que oyó decir este testigo que en el monte habían hecho ciertos sacrificios y habían ofrecido á los demonios, pero que este testigo no lo vido ni sabe quien lo hizo, ni tampoco sabe quien tenía los ídolos que su Señoría halló ayer, ni quien los puso allí, y que esta es la verdad de lo que en este caso sabe, para el juramento que hizo, é afirmóse en ello, y el dicho interprete lo firmó de su nombre.–Juan González.–(Rúbrica).

d.– Don Hernando de Chávez.

El dicho Don Hernando, Alcalde de Tezcuco por Su Majestad, testigo rescibido para información de lo que dicho es, habiendo jurado segund forma de derecho, é siendo preguntado lo que acerca de este caso sabe por lengoa de dicho intérprete: dixo, que este testigo nunca entró en la casa donde el dicho Señor Obispo ayer halló los ídolos, ni los vido hasta ayer, ni sabe quien los puso, ni supo de ello, porque si lo supiera este testigo lo dixiera, porque siempre anda buscando si hallará algunas cosas de idolatrías para lo castigar é decir; y que esta cuaresma pasada, el Gobernador Don Lorenzo y este testigo, y los alcaldes é regidores de Tezcuco, platicaron desciendo que algunas de las cruces que estaban puestas por el campo á en los caminos, se habían puesto y estaban en lugares donde solían ser altares de idolatrías, y que podría ser que allí hobiese algo, é así hicieron cavar á los pies de las cruces, y en algunas de ellas hallaron pedernales, y cuchillos con que sacrificaban, y algunas figuras de piedra, y caxetes, é otras bujerías de sacrificios, y lo recibieron todo é lo dieron á goardar al Gobernador; y después convinieron á buscar más por los cerros, y en la sierra que se dice Tlaloca, halló Pedro, algoacil que á la sazón era, un ídolo de piedra que se dice Tlaloc, é lo quebró y echó por allí, y dende aciertos días este testigo fué á la dicha sierra, é truxo el dicho ídolo quebrado; y á la orilla del mismo monte, halló este testigo otro ídolo de piedra, y lo quebró y truxo; y que después truxieron de la dicha sierra ciertos papeles é cosas de sacrificios, pero que este testigo no sabe lo que era, porque no fué por ello ni lo vido ni lo sabe quien lo hizo, más de que ha oído decir á algunos indios de Tezcuco, tratantes, que en México y en Chalco, y en Guaxocingo, y Tascala, le reprehenden é riñen porque quebraron al dios Tlaloc los de Tezcuco; y esta es la verdad é lo que deste caso sabe, y afirmóse en ello, y firmólo de su nombre.–Joan González.–Hernando de Chávez.–(Rúbrica).

e.– Don Antonio, Alcalde de Tezcuco.

El dicho Don Antonio, principal y Alcalde de Tezcuco por Su Majestad, testigo rescibido para información de lo que dicho es, habiendo jurado segund forma de derecho, é siendo preguntado lo que sabe de este caso por lengoa del dicho intérprete: dixo, que puede haber siete años, poco más ó menos, que el dicho Don Carlos solía vivir en las dichas casas donde ayer su Señoría halló los ídolos; y este testigo iba allí algunas veces, é veía aquella pared y figuras que estaban hacia fuera, sobre la haz de la pared, pero que no sabía lo que era, ni lo que estaba dentro, ni quien lo puso; y que esta cuaresma pasada, estando juntos Alcaldes, Regidores y el Gobernador, dixo Don Hernando: que bien sería buscar á los pies de las cruces si habría algunos ídolos, porque algunas cruces estaban puestas donde solían tener los altares para sacrificar, é así lo acordaron de hacer; é hicieron cavar á los pies de las cruces, é hallaron figuras de ídolos é pedernales, é navajas, é caxetes, é otras cosas é menudencias de sacrificios, enterradas debaxo de tierra, á los pies de las cruces; y asímismo, en la sierra que se dice Tlaloc, hallaron un ídolo de piedra que se dice Tlaloc, y lo quebraron, que era el ídolo, el dios del agua, que cuando no llovía é había necesidad de agua, iban á la dicha sierra á ofrescerle al dicho Tlaloc, así de México como de Tezcuco, Chalco y Guaxocingo, Chilula, y Tascala, é de toda la comarca, pero que este testigo no ha visto ofrecerle después que los xpianos están en la tierra; al cual dicho ídolo hallaron enterrado debaxo de tierra, y lo quebraron como dicho tiene; y que los días pasados, cuando había falta de agua, algunos indios de Tezcuco que iban á tratar á Guaxocingo y Tascala decían que lo desenterraban, diciendo que por los de Tezcuco no llovía porque habían quebrado al dios Tlaloc, dios del agua, y que por su causa morian todos de hambre; y como oyeron decir esto ellos, inviaron personas secretamente á Tascala, y á Guaxocingo, á ver lo que se decía y fueron allá, y cuando volvieron, dixieron que no se decía cosa ninguna, más que habían visto que los, de Guaxocingo tenían los caminos de los adoratorios y la sierra limpios como lo tenían por costumbre de hacer antiguamente para sus sacrificios; y porque supieron que en la sierra donde solía estar el ídolo Tlaloc salía humo, enviaron allá indios á ver lo que era, y hallaron muchos papeles con sangre, y copal, y una codorniz, é otras cosas de sacrificio, que paresce que habían ofrescido y lo truxieron todo y lo tiene el Gobernador; y que segund la manera de los sacrificios lo habían ofrescido los de Guaxocingo, porque cada pueblo tenía su manera de ofrescer; y luego pusieron goardas en la dicha sierra para ver quien lo hacia, y 2 ó 3 veces hallaron los dichos papeles é cosas ofrescidas con sangre, y no pudieron ver quien lo hacía, más de que oyeron decir que el camino estaba limpio desde la sierra hasta Guaxocingo, como lo solían hacer en el tiempo antiguo; y que esta es la verdad para el juramento que hizo, é afirmóse en ello, y el dicho intérprete lo firmó de su nombre.–Joan González.–(Rúbrica).

X.– Lo que declararon acerca del culto al dios Tlaloc.

E después de lo suso dicho, en este dicho día, ante su Señoría Reverendísima, por ante mí el dicho Secretario, parescieron presentes el Gobernador Don Lorenzo, é Don Francisco, y Don Hernando, y Don Lorenzo, principales del dicho pueblo de Tezcuco, é dixieron que como tienen dicho, los días pasados, cuando no llovía é había falta de agoa, ellos tuvieron noticias cómo en una sierra que se dice Tlalocatepetl hacían sacrificios é ofrescían al dios del agoa, que se dice Tlaloc; y tuvieron noticia que antiguamente, en la dicha sierra, solía estar el dicho Tlaloc, que era dios de la agoa, adonde toda la tierra solía acudir por agoa y á ofrescer á este ídolo, que era un ídolo de los muy antiguos de toda la tierra; y que en tiempo de las guerras antiguas entre Guaxocingo, y México y Tlascala y Tezcuco, los de Guaxocingo, por hacer enojo á los de México, habían quebrado el dicho ídolo Tlaloc en la dicha sierra; y que después, su tío de Montezuma, que se decía Auizoca, que siendo Señor de México, había enviado adobar el dicho ídolo Tlaloc, que los de Guaxocingo quebraron, é lo hizo adobar é poner en la dicha sierra; y después lo tornaron á tener en mucha reverenda y veneración, porque era muy antiquísimo, que de inmemorial tiempo á esta parte solía estar en la dicha sierra, y que creían que todavía el dicho ídolo debía estar en la dicha sierra, y con esta información, enviaron á buscarlo y anduvieron por toda la sierra buscándolo hasta que lo hallaron enterrado, é lo sacaron y estaba adobado con hilo de alambre y con hilo de oro y de cobre, y juntadas las piezas por donde se parescía que había sido quebrado y tornado á adobar, y así truxieron el dicho ídolo, é luego ante S. S., exsivieron una madexa grande de hilo de alambre que dixieron ser con que estaba atado el dicho ídolo: é asímismo enviaron siete barretillas de oro, redondas, de á palmo, poco mas ó menos, cada una, que dixieron ser del hilo de oro conque estaba atado el dicho ídolo; é dixieron que ellos lo fundieron é hicieron dello las dichas siete barretillas; é asimismo exsibieron tres barretillas de cobre que asímismo dixieron ser de lo mismo, y que ello lo fundieron é ficieron las dichas tres barretas. E otro si, exsibieron una piedra verde chalchuy con una figura por la una parte, que dicen es cuenta de seis días, que el dicho ídolo tenía en la frente; y que luego que truxieron el dicho ídolo, ellos pusieron goardas para ver si le venían á ofrescer, y quién y de dónde, y dos ó tres veces hallaron papeles con sangre y copal, é mantillas, é contezuelas é otras cosas de sacrificios, é no pudieron saber quién lo hacía, porque como sintieron las goardas donde solía estar el ídolo no ofrescían allí sino abaxo á las aldas, de la sierra, hacia Guaxocingo; y allí hacia Guaxocingo en una parte hallaron mucha sangre fresca, que parescía haberse sacrificado algund mochacho de poco acá, segund la sangre, y el rastro; y que los papeles y sacrificios que hallaron é tomaron en la dicha sierra., son de los de Guoaxocingo, porque por los mismos sacrificios é papeles se conosce, porque cada provincia tenía su manera de sacrificar é ofrescer, é sus señales diferentes, y por esto conoscen ser de los de Guanocingo; é luego dieron y entregaron á su Señoría la piedra de Chalchuy, y el hilo de alambre, y las tres barretas de cobre, y las siete barretas de oro, las cuales son de gordor de un vara de alto, poco más ó menos, é así redondas, y de á palmo de largo cada una casi; todo lo cual le dieron para que de ello, haga lo que sea justicia, porque ellos lo hallaron con el dicho ídolo el cual asimismo truxieron ante su Señoría hecho pedazos, de piedra; todo lo cual su Señoría lo depositó en poder de mi el dicho Secretario, para que lo tenga en depósito, de manifiesto, hasta que su Señoría mande lo que se deba hacer de ello conforme á justicia, ecepto los pedazos de piedra; é mandó que al dicho Don Lorenzo dé un conoscimiento de cómo los rescibí en depósito, y los dichos Don Lorenzo, Gobernador é principales suso dichos dixieron, que ellos buscaron é hallaron el dicho ídolo, y que pues lo han comenzado, están determinados de buscar y descubrir todos los más que hubieren é pudieren en toda la sierra, dándoles su Señoría liscencia é facultad para ello; é que si no lo vinieron á decir á su Señoría antes, ha sido por buscar otros y esperándole darle todo junto; é visto por su Señoría, cómo yendo en seguimiento de ciertos ídolos que se hallaron en la sierra de Tezcuco, y á destruir idolatrías, los vecinos del dicho pueblo le truxieron el dicho oro de suso contenido, desciendo que lo habían hallado entre los dichos ídolos, y que ellos lo daban para que el dicho Santo Oficio, lo aplicara á él, é que se meta en la fundición y se averigiie lo que vale, pagando el quinto, é de ello se haga cargo al tesorero del Santo Oficio, é haciendo esto, da por libre é quito á mí el dicho Secretario del depósito de ellos.- Fray Juan, Obispo, Inquisidor Apostólico.- (Rúbrica)

XI.-Depósito de los bienes de Don Carlos.

E después de lo suso dicho, en este dicho día, su Señoría Reverendísima dixo, que depositaba é depositó los bienes del dicho Don Carlos, que son las casas de su morada donde al presente vivía, y la heredad cercada que está junto á ella y las otras casas, donde se hallaron los ídolos; de lo cual todo se dió por entregado al dicho D. Lorenzo, Gobernador, é se constituyó por depositario de ellos, y se obligó de lo tener de manifiesto, y de hacer beneficiar el trigo é todo lo demás que en la dicha heredad hobiere, y de acudir con todo ello á quien su Señoría mandare, so las penas en que caen é incurren los depositarios que no entregan las cosas que reciben en depósito; de más de perder el valor de ello, é para ello obligó su persona é bienes, é dió poder á las justicias, é renunció las leyes, é otorgó depósito en forma; todo lo cual entregó por lengoa del dicho Juan González, intérprete, y ambos lo firmaron de sus nombres. Testigos: el dicho Juan González y Sancho López de Agurto.- Juan González .- Lorenzo de Luna. - (Rúbrica).

XII.- Continúan las informaciones sobre el dios Tlaloc.

a.- Pedro Zapotlacatl.

El dicho Pedro Zapotlacatl, algoacil que solía ser de Tezcuco é vecino de ella, testigo rescibido para información de lo que dicho es, habiendo jurado segun forma de derecho é siendo preguntado lo que de este caso sabe por lengoa del dicho intérprete: dixo, que puede haber sesenta días ó setenta, que el dicho Gobernador Don

Lorenzo envió á este testigo como algoacil, que á la sazón era, con ciertos indios á la sierra, á buscar un ídolo que descian estaba en la dicha sierra; y fué allá y lo anduvo á buscar cavando en muchas partes hasta que topó donde estaba el dicho ídolo, que se dice Tlaloc, que era de piedra, y por el cuerpo estaba revuelto y enbadurnado con ole, y chía, y maíz, é cyetl, é cuautle y otras semillas, y parescía ser de muchos días puesto aquel embadurnamiento porque estaba ya podrido, y que lo quebraron, y parte dél truxieron, y parte dél dexaron allá, que después lo truxieron otros indios que fueron por ello, y que esto sabe deste caso; preguntado si tenía oro ó plata el dicho ídolo cuando lo hallaron y qué cantidad de ello: dixo, que este testigo no vido nigund oro; y que esta es la verdad para el juramento que hizo, é afirmóse en ello, é no firmó porque dixo que no sabía escribir, y el dicho intérprete lo firmó de su nombre– Juan González.–(Rúbrica)

b.– Juan Tlacuzcalcatl.

El dicho Juan, indio, que por otro nombre se dice Tlacuzcalcatl, vecino de Tezcuco é casado, testigo rescibido para información de lo que dicho es, habiendo jurado segund forma de derecho é siendo preguntado lo que sabe deste caso por lengoa del dicho intérprete: dixo, que lo que dello sabe es, que puede haber 60 ú 80 días, poco más ó menos, que por mandado del Gobernador, Don Lorenzo de Luna, este testigo fué con otros indios á la sierra que se dice Tlalocatepetl á buscar un ídolo, que decían que estaba allí, y anduvieron por la dicha sierra buscándolo, hasta que lo hallaron, que era un ídolo de piedra, que se dice Tlaloc, y antiguamente se decía Tlalocatecotli, y que estaba partido por medio, y después lo deshicieron, y por el cuerpo tenía pegado semillas de diversas maneras; preguntado si hallaron oro é tepusque con el dicho ídolo, é qué cantidad: dixo, que no hallaron cosa ninguna; y que esta es la verdad, é que no sabe otra cosa, é afirmóse en ello, é no firmó por que dixo que no sabía escribir, y el dicho intérprete lo firmó de su nombre.–Juan González.– (Rúbrica).

c.- Andrés, vecino de Tezcuco.

El dicho Andrés, indio, vecino de Tezcuco, testigo rescibido para información de lo que dicho es, habiendo jurado según forma de derecho é siendo preguntado lo que cerca de esto sabe: dixo, que puede haber sesenta días poco más ó menos, que por mandado del Gobernador Don Lorenzo de Luna, este testigo con otros indios fué á buscar un ídolo á una sierra que se dice Tlalocatepetl, y que hallaron un ídolo de piedra que se dice Tlaloc, que estaba entre unas piedras en un hervasal, y que estaba partido por medio del cuerpo y metido debaxo de unas piedras y que allí lo deshicieron y este testigo é otros tomaron la cabeza y le hallaron en ella siete pedazos de oro y tres de tepuzque, de á xeme, cada uno poco más ó menos, é atada la cabeza con un hilo de alambre, y después untado por encima con un ungiiento de dos dedos de alto, lo cual todo le quitaron y lo truxeron y dieron al dicho Gobernador; preguntado, qué piedras turquesas ó esmeraldas y qué otra cosa hallaron en dicho ídolo: dixo, que no hallaron otra cosa más de lo que dicho tiene ni sabe otra cosa, é afirmóse en ello, y no firmó por que dixo que no sabía escribir, y el dicho intérprete lo firmó de su nombre.– Juan González.–(Rúbrica).

XIII.– Los ídolos de la casa de Don Carlos.

El dicho Lorenzo Mixcoatlaylotla, vecino de Tezcuco, casado, testigo rescibido para información de lo que dicho es, habiendo jurado segund forma de derecho, é siendo preguntado lo que cerca desto sabe por lengoa del dicho intérprete: dixo, que puede haber diez é siete años, que oyó decir este que declara, que Tlalchachi, tío de Don Carlos, había puesto allí aquellos ídolos en la casa donde su Señoría los halló, y que no los puso sino de burla, como eran de piedra y á falta de piedra; preguntado, quien se lo dixo á este testigo: dixo, que son ya muertos los que se lo dixeron; preguntado, por qué no los descubrió al cabo de tanto tiempo que sabía que estaban allí: dixo, que porque no lo tenía en nada, y porque pensó que era cosa deshechada; preguntado, cuántas veces ha entrado en la dicha casa á adorar los dichos ídolos y á ofrescerles: dixo, que ninguna vez, que si alguna vez entraba allí no era á eso, y que miraba aquello donde estaban los dichos ídolos y le parescía malo, y descía entre sí: "bien sería derribar esto", é por otra parte pensaba que estaría enojado el que goardaba la dicha casa, que es Pedro Yzcuitecatl, é por eso se dejaba de ello; preguntado, qué otras personas ha visto este que declara entrar en la dicha casa y ofrescer á los dichos ídolos: dixo, que no, á nadie; y que esta es la verdad para el juramento que hizo, é afirmóse en ello, é firmó el dicho intérprete porque él dixo que no sabía escribir.– Juan González.– (Rúbrica).

XIV.– Lo que hallaron á los pies de las cruces enterrado.

El dicho Lorenzo del Aguila, vecino é principal de Tezcuco, en la Collación de Chiautla, testigo rescibido para en la dicha información, habiendo jurado segund forma de derecho, é siendo preguntado por lengoa del dicho intérprete: dixo, que esta cuaresma pasada, en el dicho pueblo de Chiautla, buscaron á los pies de las cruces si había algún ídolo é cosas de sacrificio, y debaxo de tierra, enterrados á los pies de las cruces en cinco partes hallaron ciertas figuras de ídolos é cosas de sacrificios, y lo dixeron al Gobernador cómo habían hallado aquello, y él les dixo que los guardásen hasta que se acabásen de buscar todos; y después, por mandado del dicho Gobernador, este testigo envió á la sierra ciertos indios á goardar é á ver quien ofrescía á los ídolos, y que los indios que este testigo envió truxeron ciertos papeles con sangre, é mantillas, é otras cosas de sacrificios, que dixeron haberlo hallado en la dicha sierra, á la parte de Guaxocingo; y que esta es la verdad é lo que deste caso sabe, y afirmóse en ello, y lo firmó de su nombre.– Lorenzo del Aguila.–Juan González.–(Rubrica).

E después de lo suso dicho, en este dicho día, el dicho Gobernador Don Lorenzo de Luna é principales del dicho pueblo, en cumplimiento de lo que por su Señoría Reverendísima les fué mandado, presentaron y escibieron ante S. S. R. muchas figuras de ídolos y pedernales á manera de cuchillos de sacrificar y de corazones, y muchas pedrezuelas y cuentas de diversas maneras, de copal, é ole, é otras cosas de sacrificio, y tres ó cuatro petates de papeles, y mantillas, é otras menudencias que dixieron ser cosas de sacrificios, de los que á los ídolos se suele ofrescer; y que todo ello era lo que habían sacado y hallado enterrado á los pies de las cruces y lo que truxieron de la sierra en tres ó cuatro veces como de suso tienen declarado; é que no tienen ni saben de más, so cargo del juramento que tienen hecho, y que si de otros algunos supieran ó los halláren que también lo dirán é los traerán ante su Señoría, y que irán á buscarlos por todas partes; todo lo cual dixieron por lengoa del dicho Juan González intérprete; todo lo cual mandó su Señoría goardar, para lo llevar á México y hacer justicia. Testigo: el dicho Juan Hortuño de Ibarra.– (Rúbrica).

XV.– Diligencia en Tezcucingo.

E después de lo suso dicho, en siete días del mes de Jullio del dicho año, su Señoría Reverendísima, por ante mí el dicho Secretario, de pedimento del dicho Gobernador é principales, fué á la sierra que se dice Tezcucingo, en la cual había muchas figuras de ídolos esculpidas en las peñas, á las cuales su Señoría mandó deshacerles las figuras y quebrallas, y á las que no se pudiesen quebrallas, que les diesen fuego, para que después de quemarlas se pudiesen quebrar y deshacer; é por su mandado los indios que iban con los principales los comenzaron á quebrallar y á quitarles las formas é figuras de las caras, y á uno de los dichos ídolos pusieron fuego, en cama; para deshacer y quebrar después de quemado: y su Señoría les mandó que todos se deshiciesen de manera que no quedase memoria de ellos, á lo cual fueron presentes dos frailes de la orden de San Francisco que fueron con su Señoría de Tezcuco, y el padre Pedro López de Mendoza, é Antonio de Pomar, é Hurtuño de Ibarra y otros; y desde la dicha sierra de Tezcucingo se volvió su Señoría; y el dicho Gobernador Don Lorenzo se fué adelante á ciertas sierras con mucha gente de indios á buscar más ídolos con un mandamiento de su Señoría.– (Rúbrica).

XVI.– Lo que declaró Gerónimo de Pomar.

El dicho Gerónimo de Pomar, testigo rescibido, para la dicha razón, para información de lo que dicho es, habiéndo jurado segund forma de derecho, é siendo preguntado si sabe de algunos ídolos, quién los tenga ó sacrifique ó adore: dixo, que lo que de ello sabe es, que puede haber tres meses y medio, poco más ó menos, que este testigo reside en el pueblo de Guaxutla sujeto á Tezcuco cuando se da y que en dicho pueblo de Guaxutla, vido este testigo una casa que se dice Tecuancale, en la cual no vivía nadie, y que los indios del dicho pueblo la tienen aderezada de petates é equipales, y cada noche tienen lumbre en ella. Y porque le pareció mal de ello, envió este testigo á decir á Don Pedro, Señor del dicho pueblo, que aquella casa tenía nombre del diablo, y que la hiciese derribar, pues no vivía nadie en ella ni se aprovechaban de ella, y que si no la derribase, este testigo lo diría al señor Obispo de México; y que el dicho Don Pedro no le volvió respuesta, mas de que cerraron los portillos de la dicha casa para que no pudiesen entrar á ella, sino fuese por donde estaban los tapias que la guardaban; y este testigo no se curó de ello, y que puede haber cuarenta días, poco más ó menos, que estando el dicho señor Obispo en Tezcuco, le enviaron á decir á este testigo los señores é principales del dicho pueblo, que Don Pedro y Don Juan y Alcaldes é Regidores del dicho pueblo, le enviaban á decir que ellos le tenían por padre y por hermano á este testigo y que los días pasados les había enviado á decir lo de la casa, que si este testigo sabía donde estaba el diablo, ó algunos ídolos ó chalchuyes, que lo sacasen con sus indios y que lo tomasen para sí, é si no lo quisiera él hacerlo que se lo dixiese á ellos, que ellos lo sacarían, y que no curase de decir nada de aquello al Señor Obispo; y este testigo les dixo que ya él lo tenía olvidado aquello, y que á este testigo le paresció mal aquel cumplimiento que ficieron á cabo de muchos días que había pasado lo otro, cuando vieron qué el señor Obispo estaba en Tezcuco, y porque le paresció mal lo dixo á Su Señoría; y que esta es la verdad y lo que de este caso sabe para el juramento que fizo, é afirmóse en ello, é firmólo de su nombre.– Gerónimo de Pomar.– (Rúbrica)

XVII.– Lo que se halló en las sierras.

E después de lo suso dicho, en ocho días del mes de Jullio del dicho año, se volvió el dicho Gobernador al dicho pueblo de Tezcuco ante su Señoría y truxo y esibió ciertas figuras de ídolos de piedra é barro, é cuentas de piedra, y dos rodelas, é otras cosas de sacrificios, que dixieron haber hallado por las sierras, donde anduvieron, enterradas, todo lo cual mandó su Señoría llevar á México para hacer justicia en el caso.– (Rúbrica).

XVIII.– Fundición de las barretillas de oro.

Metiéronse á fundir las siete barretillas de oro que dieron los indios de Tezcuco, que en poder de mí el dicho Secretario se depositaron, en la casa de la fundición de esta cibdad, las cuales pesaron doscientos é siete pesos del dicho oro; de que fundido é pagado el quinto é diezmo, salieron é quedaron ciento é sesenta é un pesos é tres tomines de oro, de ley de diez é seis quilates, que reducidos á buen oro de minas de marca, valen ciento é catorce pesos é seis tomines de minas, de los cuales por mandado de su Señoría está hecho cargo al Tesorero del Santo Oficio, Agusten Guerrero, como parescía en el libro del cargo dello; y á mí, el dicho Secretario, dieron por libre é quito de ello é del depósito que en mí se hizo de las siete barretillas del dicho oro.

XIX.– Declaración de Doña María, mujer de Antonio Pomar.

E después de lo suso dicho, en ocho días del mes de Jullio del dicho año Su Señoría, por ante mí el dicho Miguel López, Secretario, tomó é rescibió la información siguiente:

E la dicha Doña María, mujer que dixo ser de Antonio de Pomar, testigo rescibida para en la dicha información, habiendo jurado segund forma de derecho é siendo preguntada lo que cerca desto sabe: dixo, que el dicho Don Carlos es su hermano de

esta que depone, é sabe que ha visto que tuvo por manceba mucho
tiempo el dicho Don Carlos á una sobrina suya que se dice Doña
Inés, en la cual hubo dos hijas, y que es verdad que esta Doña Inés
su sobrina tenía como á su mujer, y en poder della tenía todo su
hacienda, y ella le goardaba lo que tenía, y á su mujer no tenía sino
como á una esclava, y que sobre esto todos sus hermanos le repre-
hendían y asímismo esta que depone, y sobre ello estaba mal con
ella é también con sus hermanos; y siempre el dicho Don Carlos
andaba como loco, apartado de sus hermanos, y que sabe que es
mal xpiano, porque no se confiesa; y que cuando Don Pedro su
hermano era vivo y era señor de Tezcuco procuraba con él mucho
el dicho Don Carlos que le dexase por señor después de sus días, y
que ha oido decir que luego que murió el dicho Don Pedro procuró
el dicho Don Carlos de tomar por su manceba á su cuñada, mujer
del dicho Don Pedro su hermano, y cada noche iba á su casa por
echarse con ella y contra su voluntad de ella, por lo cual la dicha su
cuñada andaba muy apenada; y que el dicho Don Carlos siempre
ha procurado de señoriar y mandar á todos por fuerza, y ser señor
de Tezcuco, y que por estas cosas este testigo tiene por mal xpiano
al dicho Don Carlos, su hermano, y que esto no lo dice por odio ni
mala voluntad que tenga al dicho su hermano, sino porque así es la
verdad, y que también ha oído decir á algunas indias que el dicho
Don Carlos andaba desciendo que había de matar á sus hijos desta
que depone, y que no se acuerda á quien lo oyó decir; y que esta es
la verdad para el juramento que hizo, y afirmóse en ello, é no firmó
por que dixo que no sabía escribir.

XX.– Declaración de Doña María, viuda de D. Pedro, gobernador que fué de Tezcuco.

E la dicha Doña María, viuda, mujer que fué de Don Pedro defunto, señor que fué de Tezcuco, testigo rescibida para información
de le que dicho es, habiendo jurado segund forma de derecho, é
siendo preguntada por lengoa de Fray Antonio…: dixo, que lo que
deste caso pasa es, que puede haber, dos meses, poco más ó menos,

que falleció Don Pedro su marido desta que depone, señor que á la sazón era de Tezcuco, hermano de Don Carlos Chichimecatecotl, y que luego que fallesció el dicho Don Pedro su marido, el dicho Don Carlos su cuñado, le envió á esta que depone presentes de xúchiles dos ó tres veces, y que esta que depone no los quiso rescebir, más de que tomó mal recelo de lo que el dicho Don Carlos su cuñado le enviaba, por ser, como era, recién viuda y porque entre ellos no se acostumbraba hacer aquello; y que un día, el dicho Don Carlos, vino á la posada desta que depone, desciendo que la quería hablar, y los tapias que guardaban á la puerta no le dejaron entrar desciendo que esta que depone estaba penada y llorosa por su marido, y que no podía entrar á ella, y así se volvió; y después, otra noche adelante, el dicho Don Carlos volvió de noche á su posada desta que depone, desciendo que quería veer y hablar á esta que declara, y los tapias le dixieron que no podía entrar porque ella estaba retraída con otras mujeres, y el dicho Don Carlos les dixo que bien podía él entrar, porque era su cuñada y Don Pedro su marido había sido su hermano, y que había de entrar á estar con ella, y los tapias le dixieron: "¿qué has de hacer con ella?" y que el dicho Don Carlos les respondió: "haré lo que mis padres solían hacer con sus cuñadas"; y los tapias le dixieron que hobiera vergiienza de decir aquello, y que Doña María era xpiana y no era niña, y que no pensase que había de hacer nada de lo que él pensaba; y el dicho Don Carlos porfiaba por entrar, adonde estaba ella, desciendo que él era señor y hermano de Don Pedro y que bien podía estar con su cuñada, hasta que los tapias le echaron por fuerza de casa sin le dexar entrar; y esta que depone, como estaba recelada destas cosas, tenía mandado que no le dexasen entrar en la casa, y que dende ha ciertos días, una noche, casi á la media noche. estando esta que depone durmiendo con otras mujeres, sintió pisadas en la cámara donde dormía, y parescía que alguna persona andaba por allí, y llamó á una india que estaba junto á ella; y le mandó que encendiese un ocote, porque sentía pisadas y la india encendió ocote y esta que depone le mandó que mirase todas aquellas casillas que estaban por allí, si había alguna cosa; y la india, andando á buscar con el ocote en una casilla de aquellas, halló al dicho Don Carlos, que estaba arrimado á la pared y le preguntó: "¿qué hacía allí á tal hora y que qué quería?" y el dicho Don Carlos le dixo: "que venía á hablar á su cuñada,–que era esta que depone– porque la quería hablar en secreto", y como le dixeron á esta que depone, que el dicho Don Carlos estaba allí y que la quería hablar, ella se entró á otro aposento más adentro, donde estaban durmiendo una hija suya é otras mujeres, é hizo encender lumbre; y de allí salieron una vieja é otras indias é fueron á donde estaba el dicho Don Carlos, á decir, que si había vergiienza de andar á tal hora en casa ajena que se fuese de allí luego y á reñirle; y el dicho Don Carlos, les dixo: "que él era cuñado de Doña María, que bien podía entrar, y estar con ella, y que quería hablar en secreto, que la llamásen allí á una casilla de aquellas, porque allí la hablaría á solas"; y ellas le dixeron: "que hobiera vergiienza é ¿qué quería á solas la dicha Doña María?" y el dicho Don Carlos les dixo: "que se quería echar con ella y que bien lo podía hacer por que él era pariente de ella y hermano de su marido Don Pedro, el cual era muerto y que se había de echar con ella"; y las indias se escandalizaron mucho de eso y le dixeron: "que se saliese en hora mala de allí, porque Doña María no era niña ¿que qué había él visto en Doña María para que dixera tal cosa? que se saliese luego de casa, si no que si esta que depone supiese lo que decía, que daría voce y alborotaría el pueblo"; y á arrenpoxones le hicieron salir y le echaron fuera de casa las dichas indias al dicho Don Carlos; y questa que depone no sabe por donde entró, más de que no podía entrar sino por las paredes, porque estaban cerradas tres puertas para poder entrar donde entró, las cuales abrieron para echarle fuera; y que dende ha ciertos días el dicho Don Carlos volvió de día á su casa desta que depone, con tres ó cuatro indios en su compañía, pero que no entró donde esta que depone estaba ni dixo cosa ninguno; más de que anduvo mirando por las casillas que están en el patio de fuera, y se tornó á salir sin decir cosa ninguna; y que ha oído decir esta que depone, que otras muchas noches anda por allí, alrededor de su casa, el dicho Don Carlos, y esta que depone con el temor que de él tiene, siempre tiene de noche muchas lumbres en su casa, para que esté clara, y tapias que

la guarden, para que no pueda entrar; y que así mismo sabe esta
que depone, que el dicho Don Carlos tenía por su manceba á una
sobrina suya que se dice Doña Inés, en la cual tuvo dos hijas, á la
cual solía thener en su casa con su mujer, y porque se lo reñían y
reprendían estaba mal con sus hermanos, y que agora la thenía á la
dicha su manceba en otra casa, y que esto es público é notorio, é lo
que deste caso sabe para el juramento que fizo; é afirmóse en ello,
é no firmó por que dixo que no sabía escribir, todo lo cual declaró
por lengoa del dicho intérprete.–(Rúbrica).

XXI.– Declaraciones de las criadas de Doña María.

E la dicha Joana, india, criada que dixo ser de Doña María, viuda,
mujer que fué de Don Pedro, señor de Tezcuco, defunto, testigo
rescibida para información de lo que dicho es, habiendo jurado segund forma de derecho, é siendo preguntada por lengoa de Pedro,
intérprete, criado de su Señoría, el cual asimismo juró: dixo, que lo
que sabe deste caso es, que puede haber quince ó veinte días, poco
más ó menos, que una noche, á media noche, estando las puertas
cerradas, sintieron pisadas en casa de la dicha Doña María, en la
cámara donde ella dormía, y que encendieron ocote, y buscando
lo que era, hallaron en una casita al dicho Don Carlos, al cual esta
que depone y otras indias le dixieron que qué hacia allí á tal hora,
y el dicho Don Carlos les dixo: "que venia á veer á su cuñada Doña
María", y esta que depone le dixo: "que si le quería veer que viniese
de día y no de noche", y el dicho Don Carlos dixo: "que sí había de
venir y que había de entrar adonde estaba la dicha Doña María"; y
esta que depone é otras indias le detuvieron é comenzaron á dar
voces, desciéndole que se saliese, y como las vido dar voces se salió
y le abrieron la puertas para que saliese; y que esta que depone no
sabe por donde entró, más de que sabe que no pudo entrar sino
por encima de las paredes con alguna escalera, porque estaban cerradas tres puertas antes de que llegase adonde dicha Doña María
estaba, y adonde el dicho Don Carlos entro y en ninguna manera podía entrar por otra parte sino escalando las paredes; y que

esta es la verdad para el juramento que hizo y lo que de ello sabe,
y afirmóse en ello, é no firmó porque dixo que no sabia escribir.
– (Rúbrica).

E la dicha Joana Nocel, india, testigo rescibida para información de lo que dicho es, habiendo jurado segund forma de derecho
é siendo preguntada por lengoa del dicho Pedro, intérprete: dixo,
que es verdad que puede haber veinte días, poco más ó menos,
que una noche, casi á media noche, sintieron en la casa de la dicha
Doña María donde ella dormía, que andaba alguna persona, y encendieron ocote y hallaron dentro al dicho Don Carlos, y que no
sabe por donde pudo entrar, porque las puertas estaban cerradas,
y le dixeron: "qué hacia allí y que hobiese vergüenza, que tan poco
había que era muerto su hermano Don Pedro", y le riñeron muy
mal hasta que le echaron fuera de casa; y que esta que depone no
vido ni sabe otra cosa, y que esta es la verdad para el juramento
que hizo, é afirmóse en ello, y no firmó porque dixo que no sabía
escribir.–(Rúbrica).

XXII.–Declaración del hijo de Don Carlos.

E después de esto, este dicho día, el dicho Señor Obispo hizo parescer ante si á un mochacho que dixeron ser hijo del dicho Don
Carlos, pero que por su aspecto parescía ser de edad de diez ó once
años, poco más ó menos, al cual le preguntó por lengoa de Pedro,
indio intérprete, cómo se llamaba, y dixo que Antonio: preguntado, cuyo hijo era, dixo que de Don Carlós Chichimecatecotl: preguntado, si se ha criado en la casa de Dios, dixo que nó, porque el
dicho Don Carlos su padre le decía é mandaba que no fuese á la
iglesia; preguntado, si sabe la doctrina xpiana, dixo que no, porque
el dicho su padre le decía que no fuese á la iglesia. E luego su Señoría le mandó que se santigiiase y persinase, y no se supo santigiiar
ni persinar, y dixo que no lo sabia: mandósele que dixiese el *Pater
Noster*, é no lo supo decir: preguntado, si sabía el credo é el ave
maría, dixo que nó: todo lo cual declaró por lengoa del dicho intérprete, é su Señoría lo mandó asentar á mí el dicho Secretario en

este proceso. Testigo Pedro López de Mendoza, clérigo Presbítero. Testigo: Ortuño de Ibarra.– (Rúbrica).

XXIII.– Declaración de Doña María, mujer de Don Carlos.

E despúes de lo suso dicho, en diez días del mes de Jullio del dicho año, por ante mí el dicho Secretario; su Señoría Reverendísima hizo parescer ante sí á Doña María, mujer que dixo ser de Don Carlos Chichimecatecotl; de la cual tomó é rescibió juramento segund forma de derecho, é siendo preguntada si tenía mancebas el dicho Don Carlos su marido, por lengoa de Juan González clérigo: dixo que es verdad que el dicho Don Carlos tiene por su manceba á una sobrina suya que se dice Doña Inés, y que puede haber ciento é cuarenta días, poco más ó menos, que estando malo el dicho Don Carlos hizo llevar á su casa á la dicha su manceba Doña Inés, y la tuvo ciertos días, en los cuales la dicha Doña Inés estaba con el dicho Don Carlos en su cámara, y esta que depone los servía y la dicha Doña Inés salía á decir á esta que depone lo que había que hacer é dar al dicho Don Carlos, y lo que había de hacer de comer; y despúes que él estuvo mejor, la dicha Doña Inés se fué á su casa: y que no le ha sentido otras mancebas al dicho Don Carlos: preguntada, porqué le daba mala vida á esta que depone, y por qué no hacía vida maridable con ella, dixo: que puede haber cuatro años, poco más ó menos, que esta que depone se casó con el dicho Don Carlos, *in facie eclecie*, y que los primeros dos años fueron bien casados, y que de dos años á esta parte, el dicho Don Carlos le ha dado mala vida á esta que depone, é que no sabe la causa porqué: preguntada, qué ídolos tenía el dicho Don Carlos en su casa é en otra parte fuera de ella, á quien adorase ó sacrificase, dixo: que esta que depone no le conoció ni sintió ídolos ningunos ni le vido sacrificar ni ofrescer á ellos; y que esta es la verdad para el juramento que hizo, é afirmóse en ello, é no firmó porque dixo que no sabía escribir, y el dicho intérprete lo firmó, y encargósele el secreto en forma.–Juan González.– (Rúbrica).

XXIV.– Ampliación de la denuncia que hizo Francisco Maldonado.

E después de lo suso dicho, en once días del mes de Jullio del dicho año de mill é quinientos é treinta é nueve años, por ante mí el dicho Secretario, su Señoría Reverendísima, estando en el pueblo de Chiconabtla, hizo parescer ante sí á Francisco, indio natural del dicho pueblo, é le dixo que como sabe, le dió su dicho escripto de su letra en lengoa de indios, cerca de lo que sabía de Don Carlos Chichimecatecotl, de Tezcuco y porque esté en romance, le mandó que por lengoa del padre Juan González, clérigo que presente estaba, lo dixiese é declarase lo que en el caso sabe, é le dió para que lea lo que en su lengoa dió escripto, que está en este proceso.[1] E luego, el dicho Francisco, habiendo jurado en forma de derecho é leyendo por lo que le dió en escripto, dixo é depuso por lengoa del dicho Juan González, lo siguiente: dixo, que como tiene dicho en otro dicho que este testigo dixo ante su Señoría, en México, el dicho Don Carlos vino al pueblo de Chiconabtla en el principio del mes de Junio que agora pasó, que fué el día de la Trinidad, en el cual dicho día, amonestaron ciertos ayunos é disciplinas que habían de hacer en dicho pueblo el lunes adelante, y que desto se amoinó el dicho Don Carlos é mostró thener enojo de ello, desciendo que aquello no era mandamiento general; y el Martes siguiente, por la mañana, hicieron procesión en el dicho pueblo de Chiconabtla, estando en él el dicho Don Carlos, el cual no fué á la iglesia ni á la procesión, sino que se quedó amoinado y enojado en la posada, no estando satisfecho de los que hacían la dicha procesión; é que todos los principales é maceguales del dicho pueblo fueron á la dicha procesión haciendo sus rogativas á Dios, que hobiese misericordia dellos, é después el mismo día, á la tarde, después de puesto el sol, el dicho Don Carlos llamó á este testigo y le puso delante de sí é le dixo á este testigo: "Francisco ven acá, oye hermano; dirás por ventura ¿qué hace Don Carlos? Mañana me iré á Tezcuco; mira, oye, que mi agiielo Nezahualcoyotl y mi padre Nezahualpilli ninguna cosa nos dixeron

---

[1] No existe en el original.

cuando murieron ni nombraron á ningunos ni quienes habían de venir; entiende hermano que mi agiielo y mi padre miraban á todas partes, atrás y delante–como si dixiese, sabían lo pasado é por venir y sabían lo que se había de hacer en largos tiempos y lo que se hizo, como dicen los padres é nombran los profetas–que de verdad te digo que profetas fueron mi agiielo y mi padre que sabían lo que se había de hacer y lo que estaba hecho; por tanto hermano, entiéndeme, y ninguno ponga su corazón en esta ley de Dios é Divinidad"–como si dixiese que no amase ninguno á Dios ni á su ley–y dixo: "¿qué es esta Divinidad, cómo es, de dónde vino? ¿qué es lo que enseñas, qué es lo que nombras? –enderezando á dicho testigo las dichas palabras– sino pecar y en hacer creer á los viejos é viejas y á algunos principales en Dios: hermano, ¿qué es lo que andáis enseñando y desciendo? no hay más que eso"; y así feneció: "andáis tras esa ley de Dios, no hay más"; y así feneció; "pues oye hermano que de verdad te digo que eso que se enseña en el colegio, todo es burla"–como si dixiese no verná á prevalescer eso ni es lo que face al caso–tornó á decir: "ni tampoco harán creer ellos con lo que allí deprendieren como vos é otros esa ley, y eso que tú dices y enseñas de las cartillas y dotrinas ¿por ventura es verdad ó es ya acabado? No hay otra cosa como ésta, satisfecho veo con razón que tomáis é entendéis de lo que dicen los padres; y entiéndeme hermano que yo he vivido y andado en todas partes, y guardado las palabras de mi padre y de mi agiielo; pues oye hermano, que nuestros padres y agiielos dixieron, cuando murieron, que de verdad se dixo que los dioses que ellos tenían y amaban fueron hechos en el cielo y en la tierra, por tanto hermano sólo aquello sigamos que nuestros agiielos y nuestros padres tuvieron y dixieron cuando murieron; oye hermano Francisco ¿qué dicen los padres? ¿qué nos dicen? ¿qué entendéis vosotros? Mira que los frayles y clérigos cada uno tiene su manera de penitencia; mira que los frayles de San Francisco tienen una manera de dotrina, y una manera de vida, y una manera de vestido, y una manera de oración; y los de Sant Agustín tienen otra manera; y los de Santo Domingo tienen de otra; y los clérigos de otra, como todos lo veemos, y así mismo era entre los que goardaban á los dioses nuestros, que los de México tenían una manera de vestido, y una manera de orar, é ofrescer y ayunar, y en otros pueblos de otra; en cada pueblo tenían su manera de sacrificios, y su manera de orar y de ofrescer, y así lo hacen los frayles y clérigos, que ninguno concierta con otro; sigamos aquello que tenían y siguían nuestros antepasados, y de la manera que ellos vivieron, vivamos, y esto se ha de entender así, y lo que los padres nos enseñan y predican como ellos nos los dan á entender; que cada uno de su voluntad siga la ley que quiere y costumbres y cerimonias; hermano, no digo más, que quizá entenderéis esto y quizá no, y lo recibiréis ó no como yo os lo digo; y mirad que si por ventura conformaran las palabras de mi padre é agiielo é antepasados con las palabra de Dios, también lo hiciere como tú lo haces, sino que no conviene que miremos á lo que nos predican los padres religiosos, quellos facen su oficio, que hacen hincapié y esfuerzan que no tienen mujeres y que menosprecian las cosas del mundo y las mujeres; y que los padres hagan eso que dicen, en buena hora, que es su oficio, mas no es nuestro oficio eso ¿qué es lo que tú andas desciendo y enseñando? Reposa, y sosiega, que ya son nacidos estos nuestros sobrinos. Tomás y Diego, hijos de Don Alonso, ellos que por niños lo enseñarán á otros; ¿qué es lo que tú enseñas hermano y lo que andas predicando? y si alguna cosa te manda el Visorrey ó el Obispo ó el Provincial, por pequeña que sea, la engrandecéis mucho: oye, que lo que dice mi sobrino, Lorenzo de Luna, no lo entiendo ni sé lo que se dice: en otro tiempo no había quien acusáse á mi agiielo ni á mi padre ni á Moctezuma ni al Señor de Tacuba, ni quien los riñese"– dando á entender que le pesaba y se amohinaba de thener sobre sí á nadie que le sobrepujase ni le fuese á la mano– y así lo entendió este que declara, y asimismo les dixo: "y vosotros ¿qué queréis hacer y que es lo que decís? ¿es verdad lo que decís ó no? mira hermano que te lo prohibo, y te lo vedo, y te lo reprehendo y riño; porque eres mi sobrino, que no lo hagas lo que te dicen el Visorrey y el Obispo ni el Provincial, ni cures de nombrarlos que también yo me crié en la iglesia y casa de Dios como tú, pero no vivo ni hago como tú: ¿qué más quiéres tú? ¿no te temen y obedecen harto los de Chiconabtla? ¿no tienes de comer y beber? ¿qué quieres más? ¿para qué andas desciendo lo que dices? que no es de nuestro oficio lo que tú haces, que así lo dixieron y enseñaron nuestros antepasados, que no es bueno entender vidas agenas, sino estarse como ellos solían estar en su gravedad y retraimiento, sin entender con la gente baxa: hermano ¿qué hace la mujer ó el vino á los hombres? ¿por ventura los xpianos no tienen muchas mujeres y se emborrachan sin que les puedan impedir los padres religiosos? pues qué es esto que á nosotros nos hacen hacer los padres, que no es nuestro oficio ni es nuestra ley impedir á nadie lo que quisiere facer: dejémoslo y echémoslo por las espaldas lo que nos dicen; ¡oh! hermano, que ya me has entendido lo que te prohibo y lo que te vedo, delante de mi hermano Don Alonso; háganlo ellos y allá se lo hayan con lo que dicen: sobrino Don Alonso, no haya entre nosotros quien nos ponga en discención: huyámos de los padres religiosos y hagamos lo que nuestros antepasados hicieron, y no haya quien nos lo impida: en su tiempo no se asentaban los maceguales en petates ni en equipales, agora cada uno hace y dice lo que quiere: no había de haber quien nos impidiese ni fuese á la mano en lo que queremos facer, sino comamos y bebamos y tomemos placer, y emborrachémonos como solíamos hacer, mira que eres señor; y tu sobrino Francisco, mira que rescibas y obedezcas mis palabras, que allí están el señor de México, Yoanizi, y mi sobrino el señor de Tacuba, Tezapilli"–poniéndole temor con ello y dándole á entender, que si otra cosa hacía, que le costaría caro y aun la vida le podría costar; y esto entendió y sintió este testigo de las dichas palabras; y después de hecha esta plática, como de suso está dicha, el dicho Don Carlos, con sospiro dixo, mostrándolas: "¿quién son estos que nos deshacen y perturban é viven sobre nosotros y los thenemos á cuestas y nos sojuzgan? Oíd acá, aquí estoy yo y allí está el señor de México, Yoanizi, y allí está mi sobrino Tezapili, señor de Tacuba, y allí está Tlacahuepantli, señor de Tula, que todos somos iguales y conformes, y no se ha de igoalar nadie con nosotros, que esta es nuestra tierra y nuestra hacienda y nuestra alhaja y posesión, y el señorío es nuestro y á nosotros pertenece; é si alguno quiere facer ó decir alguna cosa, reiámonos dello, ¡oh hermanos que estoy muy enojado é sentido! y algunas veces nos hablamos yo é mis sobrinos los señores; ¿quién viene aquí á mandarnos y apreendernos y a sojuzgarnos? que no es nuestro pariente ni nuestra sangre, y también se nos iguala: piensa que no hay corazón que lo sienta y lo sepa, pues. aquí estamos y no ha de haber quien haga burla de nosotros, que allí están los señores nuestros sobrinos é nuestros hermanos: ¡oh hermanos! ninguno se nos iguale de los mentirosos, ni estén con nosotros ni se junten de los que obedecen y siguen á nuestros enemigos;" todo lo cual, segund de que suso es dicho, les dixo é platicó el dicho Don Carlos, estando presentes este testigo y Don Alonso, señor de Chiconabtla, y Cristóbal, indio, vecino de Chiconabtla, y dos principales de Tezcuco, que se dicen Zacanpatl y Coaunochitly, y otro indio que se dice Poyoma de Tezcuco y Acanauacatl, y un principal de Chiconabtla; y que todos los susos dichos se escandalizaron de lo que el dicho Don Carlos les dixo y platicó; y que esta es la verdad, é afirmóse en ella; preguntado, si tiene odio ó enemistad ó rencor contra el dicho Don Carlos, ó si esto que dice si es por inducimiento de persona alguna; dixo que no lo dice por mala voluntad ni por odio ni enemistad ni por inducimiento de persona alguna, sino porque es así verdad, y por descargo de su conciencia y por amor de Dios Nuestro Señor; y que cree este testigo que el dicho Don Carlos habrá dicho esto mismo en otras partes, y que Dios quiso que lo viniese á decir ante este testigo para que se descubriese, y que lo que de suso tiene dicho y lo que dixo en México, ante su Señoría Reverendísima, es la verdad como en ello se contiene, y en ello se afirmaba é afirmó, porque así es la verdad para el juramento que hizo, y encargósele el secreto en forma, y su Señoría y el dicho Francisco y el dicho intérprete, lo firmaron de sus nombres.– Fray Juan, Obispo de México.–Juan González.–Miguel López.–Francisco Maldonado.–(Rúbricas).

XXV.– Declaraciones de los testigos.

a.– Don Alonso, Señor del pueblo de Chiconautla, juró este día.

El dicho Don Alonso, indio, señor del pueblo de Chiconabtla, testigo rescibido para información de lo que dicho es, habiendo jurado segund forma de derecho, é siendo preguntado lo que cerca de este caso sabe por lengoa del dicho Juan González, Presbítero: dixo, que puede haber cuarenta ó cincuenta días, poco más ó menos, que fué ciertos días antes del día de Corpus Xpi, el dicho Don Carlos vino al pueblo de Chiconabtla, un Domingo, á holgarse; é que otros día adelante, hacían cierta procesión é disciplinas en el dicho pueblo, é que el dicho Don Carlos no fue á la dicha procesión, sino que se quedó en la posada deste testigo; y que el dicho Martes adelante, en la noche, el dicho Don Carlos hizo juntar adonde estaba á Francisco, indio, y á Cristóbal, y delante deste testigo y de otros dos principales de Tezcuco, que se dicen Coaunochitly y Zacanpatl, y Poyoma, el dicho Don Carlos preguntó á ciertos indios que allí estaban alumbrando, quiénes eran, si eran principales; é mandó que los que no eran principales se salieran fuera, y salidos los que no eran principales, el dicho Don Carlos llamó cabe sí al dicho Francisco, indio, y comenzó á decir: "no digáis á qué viene éste aquí, pues no vengo sin cabsa, que á algo vengo, y por ventura por la mañana me iré", y luego el dicho Don Carlos comenzó á reñir con el dicho Francisco, diciendo: "no haya más, que ninguna cosa nos dixieron mis padres cuando murieron, ni dixieron quiénes habían de venir, pues mi padre é mi agiielo, de verdad os digo que eran profetas; por tanto, hermanos ninguno ponga todo su corazón en esta ley de Dios é Divinidad; pues que es lo que enseñáis, é nombráis, y predicáis? Ya pecáis en hacer creer en Dios á los viejos y á algunos principales, pues ¿qué es lo que andáis enseñando y predicando? no hay más que hacer ¿por ventura fenece allí todo? pues hermano Francisco, ¿eso que tú enseñas de las dotrinas y cartillas es verdad por ventura? no hay más, ¿está satisfecho vuestro corazón con eso que entendéis y tomáis de lo que predican y enseñan los padres? hermanos, sigámos é tengamos la vida y camino que nuestros antepasados tuvieron, y sólo aquello sigamos; y lo que los padres religiosos hacen con sus palabras es su oficio; más cada uno ha de vivir en su ley que quisiere ó como quisiere: ¿qué andas enseñando Francisco? repósate é sosiégate, que ya son nacidos mis sobrinos Tomás é Diego; ellos que son niños, lo enseñarán: ¿qué andáis diciendo é predicando? que de una palabra que os diga el

Visorrey el Obispo el Provincial, la encarecéis y engrandecéis mucho"; y nombrando á Lorenzo de Luna por su nombre antiguo de indio, á manera de desprecio, dixo: "no entiendo á este Lorenzo ni sé lo que se hace: ¿qué queréis hermanos? dáos priesa: ¿por ventura fueron así nuestros agiielos é antepasados? óyeme Francisco, mira que te prohibo é impido estas cosas que enseñas y en que andas: ¿no te obedecen por ventura los Chiconabtecas, no te temen, no tienes de comer é beber? ¿pues qué más quieres? ¿qué andas buscando? bástete ya lo de hasta aquí, no cures de andar más en estas cosas que enseñas, que nuestros padres dixeron que no era bueno entender en vidas ajenas"; entonces, dixo á este testigo: "hermano Don Alonso, ya somos viejos; oíamos lo que predican los padres y echémoslo por las espaldas, atrás, y goardemos lo que nuestros antepasados goardaron"; y luego volvió al dicho Francisco, desciendo: "mira hermano Francisco, que obedescas lo que te mando, y que toméis mis palabras, é si no lo haces, costarte ha la vida por ventura"; y después de toda esta plática, el dicho Don Carlos, comenzó otra plática muy enojado, y que no se le acuerda del principio de la plática, más de que vino á decir: "aquí estoy yo y aquí está Yoanizi, Señor de México,– señalando con el dedo hacia allá– y allí está Tezapili, señor de Tacuba, y allí está Tlacahuepantli, señor de Tula, –señalando hacia donde estaba cada uno con el dedo– y nosotros somos mexicanos, y nuestro agiielo era Huizilihui, que fué señor de México, y ninguno ha de estar entre nosotros, que nuestros antepasados solos fueron señores y no gobernaron este señorío vilmente ni con deshonra, sino como de suyo les venía, y de cepa ser señores naturales de la tierra: ¿Quién está entre nosotros que no es nuestro pariente ni nació con nosotros?" y que de estas palabras se enojó Zacanpatl, principal de Tezcuco, y se levantó, y salió fuera diciendo: "no quiero estar aquí": é otros muchas cosas les dixo el dicho Don Carlos, de que este testigo no tiene memoria, y que toda la plática casi enderezó á Francisco y él terná más memoria por ventura, que se remite á lo que el dicho Francisco dixiere, porque no dirá más que la verdad, y que así por esto, como porque este testigo se enojó de lo que el dicho Don Carlos decía desde el principio de su plática, porque veia que no era bueno ni eran cosas de Dios, no paró mientes en todo ni lo encomendó á la memoria, y también porque este testigo había bebido, no estaba atento dello y esto es la verdad, y después de pasadas estas pláticas se salieron de allí los dichos Francisco y Cristóbal, y quedaron este testigo y el dicho Don Carlos y Coaunochitli y Zacanpatl y Poyoma; y este testigo comenzó á reprehender y retraer al dicho Don Carlos lo que había dicho, y entre otras cosas le dixo: "como tenía este testigo á su hijo Tomás en la iglesia de Dios, y que Fray Pedro su maestro, se lo había loado mucho é que merecía mucho"; y el dicho Don Carlos se enojó desto, y volviendo la cabeza, como indinado, dixo: "bien te parece, matemos á ese tu hijo Tomás, pues te parece bien", y dende á un rato el dicho Don Carlos, dixo: "que quería ver á Doña María su hermana, mujer deste testigo, á la cual llamaron, é vino donde estaba el dicho Don Carlos, el cual le habló, y, entre otras cosas, le dixo á la dicha su hermana: "mira hermana, no cures deste matrimonio ni mirar á él sino que si tu marido quisiere dos y tres mujeres, no se lo impidas ni riñas ni vivas celosamente, que yo también soy casado y tengo mi mujer y tengo á mi sobrina por manceba, no embargante que tengo mujer"; y después de todo esto apartó aparte el dicho Don Carlos á este testigo y le dixo: "hermano no haya más, que ya somos así"; y esto le dixo dos ó tres veces y como enojado, y que le pareció á este testigo mal, y le interpretó á mal, y con tanto se fueron á dormir, y este testigo se despidió de él y se fué á dormir, y que esta es la verdad para el juramento que hizo; preguntado, si tiene odio ó enemistad al dicho Don Carlos, y si esto que ha dicho de suso si es por odio: dixo, que no ni nunca riñeron ni se quisieron mal, antes bien, porque son cuñados, y que lo que ha dicho no es por odio ni mala voluntad ni por inducimiento de persona alguna, sino por decir la verdad por el juramento que le fué tomado y por descargo de su conciencia, y porque pasó así como lo tiene dicho de suso; y que mucho más les dixo el dicho Don Carlos, sino queste testigo no tiene memoria de ello, porque como le parecía mal la plática, no la encomendó á la memoria por que lo oía de mala gana, pero que Francisco á quien se enderezó la plática estaría más atento á ella y él lo declararía, que se remite á lo que dicho Francisco dixiese, porque tiene por cierto que no dirá sino la verdad; fué preguntado si estaba en su seso ó borracho el dicho Don Carlos cuando pasó la dicha plática: dixo que estaba en su seso el dicho Don Carlos, é muy áspero en lo que decía é platicaba; y que esta es la verdad para el juramento que hizo é se afirmó en ello, é no firmó, porque dixo que no sabía escribir y su Señoría y el dicho intérprete lo firmaron de sus nombres, y encargósele el secreto en forma y so pena de excomunión mayor.– Fray Juan, Obispo de México.– Juan González.– Miguel López (Rúbricas).

b.– Cristóbal, indio, vecino de Chiconautla.

E despúes de lo susodicho, en doce días del mes de Julio del dicho año de mil é quinientos é treinta é nueve años, ante su Señoría Reverendísima, y en presencia de mí, el dicho Secretario, pareció presente, Cristóbal, indio, vecino de Chiconautla: dixo, que los dias pasados, el dixo su dicho ante su Señoría Reverendísima sobre cierta plática que Don Carlos Chichimecatecotl, vecino de Tezcuco, hizo en el dicho pueblo de Chiconabtla, y su Señoría le había mandado recorriese su memoria acerca dello y que él así lo ha hecho y ha pensado en ello; pidió le sea mostrado y leído lo que dixo en el dicho su primer dicho, lo cual le fué leído, habiéndoselo dado á entender por lengua del dicho Juan González, intérprete: dixo, que es verdad todo lo que dixo en el dicho su dicho, y que demás de ello se acuerda que les dixo el dicho Don Carlos: "Hermanos, dad acá, quién son estos que nos mandan y están sobre nosotros y nos vedan y deshacen, pues aquí estoy yo, que soy señor de Tezcuco, y allí está Yoanizi, señor de México, y allí está mi sobrino Tezapili, que es señor de Tacuba; y no hemos de consentir que ninguno se ponga entre nosotros ni se nos iguale; después que fuéremos muertos bien podrá ser, pero agora aquí estamos y esta tierra es nuestra y nuestros agüelos y antepasados nos la dexaron: hermano Francisco, ¿qué andas haciendo, qué quieres hacer, quiéreste hacer padre por ventura? ¿esos padres son nuestros parientes ó nacieron entre nosotros? Si yo viese que lo que mis padres y antepasados

tuvieron conformaba con esta ley de Dios, por ventura la goar-
daría y la respetaría. Pues, hermanos, goardemos y tengamos lo
que nuestros antepasados tuvieron é goardaron, y démonos á pla-
ceres y tengamos mujeres como nuestros padres las tenían; y tú
Francisco no impidas ni estorbes esto sino deja vivir á cada uno
en la ley que quisiere; y cada uno siga lo que quisiere, porque así
lo dicen también los predicadores padres, y esto que los predicadores nos enseñan oyámoslo y echémoslo atrás, y no curemos de
ello, y ninguno no ponga su corazón en esta ley de Dios ni ame á
Dios ¿qué certidumbre véis é halláis en esta ley? Yo no lo entiendo;
mira, hermano, que pecas en hacer creer á los viejos y viejas esta
ley, pues sábete que nuestros antepasados dixieron muy de cierto,
que la ley que ellos goardaron que en el cielo tuvo principio, y que los
dioses que ellos tenían, solos aquellos eran los verdaderos, y su ley
era la buena y verdadera; pues mira, hermano Francisco, que te
mando que no enseñes ni hagas cosa de lo que el Visorrey ni el
Obispo ni el Provincial te mandásen ni dixieren ni los nombres;
que yo también me crié en la iglesia de Dios como tú, pero no hago
lo que tú haces; veámos, hermano ¿qué hace la mujer al hombre
ó qué pecado es thenerlas, qué pecado es beber; por ventura los
xpianos no tienen muchas mujeres y no se emborrachan? y á nosotros solo nos lo quieren impedir que no las tengámos y no nos
emborrachemos y no á los xpianos; mira, hermano Francisco, que
no obedezcas ni hagas lo que te mandan, cata que soy señor y ahí
están mis sobrinos los señores, que nadie se nos ha de igualar ni
ha de hacer burla de nosotros, y no se junte nadie con nosotros de
los que obedecen á los padres predicadores y aman á ellos, que son
mentirosos"; y que todo esto les dixo el dicho Don Carlos, estando presentes este testigo y Don Alonso, señor de Chiconabtla, y
Francisco, indio, y Aculnahuacatl, de Chiconabtla, y Zacanpatl y
Cuaunochitli y Poyoma, vecinos de Tezcuco; todo lo cual declaró
por lengoa del dicho Juan González, clérigo, y se afirmó en ello,
y firmólo de su nombre; y fué preguntado, si esto que dice hoy es
por odio ó enemistad que tenga al dicho Don Carlos ó por inducimiento de persona alguna; dixo, que nó sino por decir la verdad
por el juramento que le fué tomado y por descargo de su concien-

cia; encargósele el secreto desta información so pena de escomunión mayor, y su Señoría y el dicho intérprete lo firmaron de sus nombres.–Fray Juan, Obispo de México.–Juan González.–Miguel López.–Xbal.–(Rúbrica).

c.– Melchor Aculnahuacatl

Este dicho día, doce de Jullio, el dicho señor Obispo tomó por testigo en esta dicha razón á Melchor, indio, é á Doña María, mujer de Don Alonso, de los principales; se tomó é rescibió juramento en forma, so cargo del cual prometieron de decir verdad é dixeron lo siguiente: El dicho Melchor Aculnahuacatl, indio principal, que dixo ser del pueblo de Chiconabtla, testigo rescibido para información de lo que dicho es, habiendo jurado según forma de derecho é siendo preguntado cerca deste caso, por lengoa del dicho Juan González: dixo, que puede haber treinta ó cuarenta días, poco más ó menos, que el dicho Don Carlos vino al dicho pueblo de Chiconabtla, y á la sazón en el dicho pueblo se hacían ciertos ayunos é disciplinas, y el dicho Don Carlos Chichimecatecotl no fué á la iglesia, sino que se quedó en la posada; y este testigo se quedó con él acompañándole, y que le vido estar al dicho Don Carlos cabizbajo, como enojado, que no hablaba; y esto fué un Lunes por la mañana, y después de salidos de la iglesia, Don Alonso, señor de Chiconabtla y el dicho Don Carlos y este testigo, y otros principales de Tezcuco y del dicho pueblo de Chiconabtla, fueron á comer a una fuente, que se dice Azunpan, y estando en la dicha fuente, el dicho Don Carlos se apartó con un indio de Tezcuco que traía consigo, y este testigo fué trás él para ver si quería algo, y fueron á ponerse debaxo de un sauce, á la orilla del agoa, y este testigo se puso un poco desviado, y el dicho Don Carlos miró á una parte é á otra, é como no vido á nadie, más del indio que llevaba consigo, que se dice Poyoma, comenzó á mirar el agoa, y señalando con el dedo hacia el agoa, dixo al dicho indio Poyoma: "hermano, hermano, papel hemos menester"; y este testigo le paresció mal aquello que decía, y se fué de allí, porque le paresció cosa del diablo; y á la tarde se volvieron de la fuente á la posada del dicho Don Alonso, y otro día Martes hubo procesión por la mañana, y el dicho Don Carlos no fué á ella ni á la iglesia, y este testigo se quedó con él para veer lo que había menester, y el dicho día Martes, á la tarde, el dicho Don Carlos y Don Alonso bebieron un poco de vino, y dende á un rato, casi ya noche, el dicho Don Carlos mandó saliesen ciertos indios maceguales que alumbraban en el aposento donde estaban é dixo que los que no eran principales todos se saliesen, y este testigo se levantó para salir, y el dicho Don Carlos le preguntó á este testigo: "¿tú no eres principal?" y los que estaban presentes, dixieron que era principal, y el dicho Don Carlos le dixo que se asentase, pues era principal, y este testigo se asentó; y después de salidos los otros que no eran principales, se quedaron el dicho Don Carlos y Don Alonso y Francisco Maldonado y Cristóbal, y este testigo, y tres indios de Tezcuco que el dicho Don Carlos traía consigo, que se decían Zacanpatl y Cuaunochitli y Poyoma, y delante destos, el dicho Don Carlos, comenzó á hacer una plática segund la costumbre antigua de sus antepasados, encaresciendo mucho lo que les quería decir, y diciéndoles que era cosa grande; y deste razonamiento vino á decir, hablando con los dichos Francisco é Cristóbal que presentes estaban; "hermanos Francisco é Cristóbal, ¿qué andáis enseñando y predicando? é yo bien sé lo que vos é otros enseñáis, yo también he estado en todas partes"; y nombró cuatro maneras de libros, é este testigo no sabe que son, y asímismo nombró el *pater noster* y el *ave maría* y *credo* y vino á decir: "no hay más que hacer que esto, pues no está mi corazón satisfecho con esto, no véis cuántas maneras de padres hay, que cada uno tiene su manera de vestir y su manera de orar é vivir; los de Sant Francisco de una manera, y los de Santo Domingo de otra, y los de San Agustín de otra, y los clérigos de otra; y así tenían también nuestros antepasados cada uno sus dioses é sus maneras de trajes é sus modos de sacrificar y ofrescer, y aquello hemos de thener é seguir como nuestros antepasados, vamos allá; mi padre hago os saber que sabía lo pasado y por venir y á todas partes miraba y nunca dixo quien había de venir ni qué vida se había de thener ni qué ley; por eso, hermanos reposad y no curéis en estas cosas en que andáis, que de una pala-

bra que el Visorrey é el Obispo é el Provincial os dicen aunque sea
pequeña, hacéis muchas y la engrandecéis muy mucho: yo también
viví y me crié en la iglesia de Dios, pero no por eso hago lo que vos
é otros, sino goardo la ley de mis antepasados, y esta sola sigámos
é goardemos y no otra cosa ¿por ventura en los tiempos pasados
había quien osase acusar ó señorear al señor de México ó al de
Tezcuco ó al de Tacuba? Pues agora ¿quién son estos que viven
sobre nosotros y nos tienen sojuzgados? ¡oh hermanos! pues aquí
estoy yo, que soy señor de Aculhuacán, y allí está Yoanizi, señor de
México, y allí está mi sobrino Tezapili, señor de Tacuba, y aquí está
Tlacahuapantly, señor de Tula, que somos señores é iguales é conformes: ninguno ha de estar entre nosotros, ni nos ha de sojuzgar,
porque esta tierra es nuestra, que nos la dexaron nuestros padres, y
ninguno de los mentirosos que nombran ni siguen á los frayles no
se junte con nosotros, y tu hermano Francisco no cures de andar
con eso ni enseñar esa dotrina xpiana, cata que te lo prohibo y te
mando que me obedezcas"; é que otras muchas cosas les dixo el dicho Don Carlos, sino que este testigo no lo entendió todo, porque
algunas veces se salía á limpiar el ocote con que se alumbraban, é
como salía y entraba, no se acuerda haber oído más de lo que de
suso tiene dicho é declarado. E después de acabada la plática,
el dicho Don Carlos llamó allí á su hermana Doña María, mujer
del dicho Don Alonso, y la hizo venir y le dixo después de otras
pláticas: "cata que si tu marido quisiere thener dos y tres mujeres
que no se lo impidas ni riñas, sino mira cómo vivieron nuestros
padres antepasados é nuestras madres, y como ellos lo hacían, así
has tú una ó otra cosa"; y que todo esto lo decía á la dicha Doña
María riñéndola, á manera de amenaza y llamándola muchas veces
nocone, que es palabra fea y afrentosa, que es como si dixiese hija
de la mala mujer; y la dicha Doña María estaba llorando de lo que
le decía, y le respondió: "grant merced me ha hecho mi hermano
en reñirme en decirme mal y hablar mal"; y que esto se le acuerda
de lo que pasó, y que algunas veces nombraba el dicho Don Carlos
los nombres del demonio, pero que no entendió á qué fin, porque
como dicho tiene, entraba y salía este testigo muchas veces, todo lo
cual el dicho Melchor declaró por lengoa del dicho Juan González,

clérigo intérprete; fué preguntado, si lo que ha dicho, si es por odio
ó enemistad que tenga con el dicho Don Carlos ó por inducimiento de persona alguna; dixo, que este testigo no ha tenido ni tiene
odio ni enemistad ni mala voluntad al dicho Don Carlos, sino buena, é que no lo dice por nada desto ni por inducimiento de persona
alguna, sino porque pasó así y es la verdad para el juramento que
tiene hecho, y afirmóse en ello é no firmo porque dixo que no sabía
escribir; encargósele el secreto desto en forma, y su Señoría y el
dicho intérprete lo firmaron de sus nombres.– Fray Juan, Obispo
de México.– Juan González.–Miguel López.– (Rúbricas).

d.– Doña María, mujer de Don Alonso.

E la dicha Doña María, india, mujer que dijo ser de Don Alonso,
señor del pueblo de Chiconabtla, testigo rescibido para información de lo que dicho es, habiendo jurado segund forma de derecho
é siendo preguntada lo que sepa deste caso por lengoa del dicho
Juan González, clérigo, intérprete: dixo, que puede haber treinta
ó cuarenta días, poco más ó menos, que Don Carlos Chichimecatecotl, hermano desta que depone, vino de Tezcuco, donde es
vecino al pueblo de Chiconabtla, á la posada desta deponente, y
una noche, el dicho Don Carlos la envió á llamar á su aposento,
y esta que depone fué allá á ver lo que quería su hermano, y estando presente Don Alonso, su marido desta deponente, el dicho
Don Carlos la hizo asentar y le preguntó cómo estaba y qué vida
tenía, y después le dixo: "pues veámos, hermana, cómo puedas tú
sola hacer lo que tu marido Don Alonso ha menester, creo que no
miras á lo que nuestros antepasados solían hacer, pues mira que
si tu marido quisiere tomar otras mujeres que no se lo impidas, ni
riñas á las mujeres que tomare, ni cures del matrimonio de la ley
xpiana, que yo también soy casado y no por eso dexo de thener
por manceba á tu sobrina: y cuando quiero voy á dormir con ella,
y si mi mujer se enoja, que se enoje, no se me dá nada"; y questo le
persuadió muy ahincadamente el dicho Don Carlos su hermano,
y casi amenazándola, y que no pasó más, ni sabe otra cosa para

el juramento que hizo, é afirmóse en ello, é questo que dice de suso no lo ha dicho por odio ni enemistad que tenga al dicho Don Carlos su hermano, porque antes le quiere bien ni menos por inducimiento de persona alguna ni por otra cosa, sino por descargo de su conciencia y por decir verdad por el juramento que le fué tomado, y que no sabe otra cosa del dicho Don Carlos, porque esta que depone no ha conversado con él ni le ha visto en su vida sino dos ó tres veces, ni en su vida ha venido á Chiconabtla después que ella está allí, sino fué aquella vez; y que esta es la verdad, é afirmóse en ello, é no firmó porque dixo que no sabía escribir; todo lo cual declaró por lengoa del dicho Juan González, intérprete. Encargósele el secreto desto en forma, y su Señoría y el dicho intérprete lo firmaron de sus nombres.–Fray Juan, Obispo de México.. –Juan González.–Miguel López..–(Rúbricas).

XXVI.– Declaración del acusado Don Carlos Chichimecatecutli.

E después de lo suso dicho, en Martes quince días del mes de Jullio, año suso dicho de mill é quinientos é treinta é nueve años, estando en audiencia del Santo Oficio su Señoría Reverendísima, hizo parescer ante sí al dicho Don Carlos Chichimecatecotl, preso, del cual fué tomado é rescibido juramento segund forma de derecho y él lo hizo é prometió de decir verdad, é so cargo dél, siendo presentes por intérpretes el padre provincial Fray Antonio de Cibdad Rodrigo, y el padre Fray Bernardino, y el padre Juan González, clérigo, le fueron hechas ciertas preguntas, las cuales, con lo que á ellas respondió son las siguientes, y los dichos intérpretes asimismo juraron en forma:

preguntado, cómo se llama: dixo, que Don Carlos y Chichimecatecotl en nombre de indio;

preguntado, de dónde es natural: dixo, que de Tezcuço, porque de allí fueron sus antepasados;

preguntado, de qué casta ó generación es: dixo, que es de noble generación, que desciende de los caciques de Tezcuco y es hermano de Don Pedro, señor de Tezcuco, que murió agora poco há;

preguntado, si es casado á ley y á bendición, segund la santa madre iglesia lo manda y qué tanto tiempo há que se casó: dixo, que sí íes casado á la ley y á bendición, y que se casó puede haber cuatro años en Guaxutla, sujeto de Tezcuco;

preguntado, si es xpiano: dixo, que sí que es xpiano bautizado y que puede haber quince años, poco más ó menos, que se bautizó en el dicho pueblo de Tezcuco, que lo bautizó el padre Fray Juan, que ya es difunto;

preguntado, si después que es bautizado si ha oído la dotrina xpiana y predicación de los religiosos, y si ha oído en las dichas predicaciones que ninguno tuviese ídolos ni ceremonias gentílicas y que nadie tuviese más de su mujer legítima: dixo, que sí, porque este que declara se crió con los padres religiosos en la casa de Dios, y oyó la dotrina y todo lo que le es preguntado muy muchas veces;

preguntado, si este confesante si la dió á entender á otros indios, predicando la dotrina xpiana como la había aprendido de los padres: dixo que sí muchas veces;

preguntado, si le decían y predicaban los padres religiosos que nadie no había de thener más de una mujer segund la ley de Dios y que no había de ser parienta: dixo, que sí muy muchas veces;

preguntado, qué tantas casas tiene este que declara, que sean suyas ó de sus antepasados, en el pueblo de Tezcuco: dixo, que muchas tenía su padre deste confesante, y en una dellas que fueron de su padre, que se dice Oztuticpac, vive este confesante al presente, en las cuales fué á vivir con licencia de Don Pedro, su hermano, señor de Tezcuco, y que otras casas tiene en el dicho pueblo que fueron de sus antepasados; fuéle dicho é apercibido que si dixiese la verdad, confesando sus culpas enteramente, que se habían con él benínamente y se rescibiría á misericordia conforme á derecho, el cual después de ser amonestado: dixo, que está presto de lo así hacer:

preguntado, si la casa donde vivía Pedro Izcutecatl, que este confesante thenía puesto por goarda en ellas al dicho Pedro, si fué de sus antepasados: dixo, que la dicha casa fué de su agiielo deste confesante;

preguntado, si tenía mandado este confesante al dicho Pedro

que no entrase nadie en las dichas casas: dixo, que es verdad queste confesante thenia puesto por goarda en las dichas casas á Pedro, indio, y á su mujer, é vivían en ella por su mandado, pero que este que declara no les mandó que nadie no entrase en ellas;

preguntado, si entraba este declarante en las dichas casas algunas veces solo y otras veces con otros indios: dixo, que es verdad que algunas veces iba este confesante á las dichas casas solo y otras veces con otros, porque era su casa aquella y que andaba por toda ella y cortaba algunas rosas, é que las figuras de ídolos de piedra que estaban en las dichas casas en la pared, este testigo las veía, porque las puso allí un tío suyo deste confesante;

preguntado, si este que declara ó los que con él entraban á las dichas casas, si hacían algunas adoraciones ó sacrificios á los dichos ídolos de los que antiguamente solían hacer en su ley ó si les ofrescían algo ó hacían alguna cosa de idolatría: dixo, que no, que no hacían ninguna adoración ni sacrificio ni cosa de idolatría, ni este confesante tenía por ídolos aquellos ni los conoscía por tales;

preguntado, si sabia que en las dichas casas; junto á un árbol, dentro de una pared estaban otros ídolos y por encima encalados, y algunos estaban dentro, que no se parescían, y otros de fuera que se veían las figuras: dixo, que nunca supo tal ni vido más de los que se veían de fuera de la pared, é que él no lo hizo encalar ni sabe quien lo encaló;

preguntado, si hablando con cierta persona é personas este confesante, si les dixo que su padre é su agiielo deste confesante eran profetas y sabían lo pasado é por venir, y lo que estaba hecho y lo que se había de hacer; dixo, que nunca dixo tal este confesante á persona ni personas ningunas;

preguntado, si dixo á otra persona: "entiéndeme, ninguno ponga su corazón en la Divinidad"; dándole á entender que ninguno amase á Dios ni á su ley: dixo, que nunca tal ha dicho y queste confesante no ha ofendido á Dios sino en thener mancebas;

preguntado, si dixo á cierta persona hablando con él: "¿qué es esta divinidad, dónde es, cómo es, de dónde vino, qué es lo que se enseña; sin pecar?", dixo, que nunca tal dixo á nadie;

preguntado, si dixo este confesante: "¿en que andan algunos

en hacer creer á los viejos é viejas y á algunos principales en Dios?, andáis tras esa ley de Dios, ya se feneció y no hay más"; dixo: que nó, que ninguna cosa ha dicho que sea en ofensa de Dios;

preguntado, si dixo, este confesante que todo lo que se enseña desa ley de Dios es burla; dixo, que no;

preguntado, si ha dicho asimismo este confesante que él también ha vivido en todas partes y que siempre ha goardado la ley de sus padres é agiielos: dixo, que no ha dicho tal;

preguntado, si dixo asímismo este confesante que los dioses que sus padres y antepasados llamaban que fueron hechos en el cielo y en la tierra y que sólo aquello se siguiese que siguieron sus agiielos y padres y lo que dixieron cuando murieron: dixo, que no sabe tal cosa ni tal ha dicho.

preguntado, si asímismo descía este confesante que los frayles de Sant Francisco thenían una manera de vida y de vestido, dotrina y oración, y otra diferente los dominicos y otra los agustinos, y otra los clérigos, como era público, y que así ellos antiguamente en cada pueblo thenian su manera de sacrificios é oraciones é idolatrías; é que este que declara y las personas á quien lo decía, que siguiesen á sus antepasados y que viviesen de la manera que ellos vivieron, y que cada uno de su voluntad siguiese la ley, é costumbres, é ceremonias que quisiese, y que así lo daban los frayles á entender, pues thenía cada uno su manera de vida: dixo, que nó;

preguntado, si asímismo ha dicho que los frayles se esforzaban en dexar las mujeres y menospreciar las cosas del mundo, ellos hagan su oficio, pero eso no es de nuestro oficio: dixo que nó;

preguntado, si ha dicho asímismo este confesante que en otro tiempo no había quien acusase á su agiielo ni á sus padres ni á Montezuma ni al señor de Tacuba ni quien los juzgase ni señoriase: dixo, que no ha dicho tal cosa;

preguntado, si ha dicho asímismo este confesante que no hagan lo que el Visorey ni el Obispo les dixiesen ni los nombrasen: dixo, que nunca tal ha dicho;

preguntado, si ha dicho asímismo que los xpianos también thenían muchas mujeres é se emborrachaban, sin que les pudiesen impedir los padres religiosos, y que á ellos solos lo querían impedir, no siendo su ley; é que de los padres se había de oír lo que descían y echarlo atrás por las espaldas, y hacer lo que sus padres y antepasados de los indios solían hacer: dixo, que nó;

preguntado, si asímismo ha dicho este confesante que en tiempo de sus antepasados no se asentaban los maceguales en petates ni equipales é que agora cada uno hacía y decía lo que quería, y que no había de haber nadie que les impidiese y les fuese á la mano en lo que quisiesen hacer, sino que comiesen é bebiesen y tomasen placer é que se emborrachasen como solían hacer: dixo, que nunca tal ha dicho;

preguntado, si dixo, amenazando á alguna persona con quien hablaba, que si no le creían y obedecían, que allí estaban el señor de México, y su sobrino el señor de Tacuba, y el señor de Tula: dixo que no ha dicho tal;

preguntado, si sospirando dixo este confesante en cierta parte: "¿quién son estos que nos deshacen, é perturban, é viven sobre nosotros, é los thenemos á cuestas y nos sojuzgan? pues aquí estoy yo, y allí está el señor de México Yoanizi, y allí está mi sobrino Tetzcapili, señor de Tacuba, y allí está Tlacahuepantli, señor de Tula, que todos somos iguales y conformes y no se ha de igoalar nadie con nosotros; que esta es nuestra tierra y nuestra hacienda y nuestra alhaja y nuestra posesión, y el señorío es nuestro y á nos pertenece; y quién viene aquí á mandarnos y á sojuzgarnos, que no son nuestros parientes ni de nuestra sangre y se nos igoalan, pues aquí estamos y no ha de haber quien haga burla de nosotros": dixo, que nunca este confesante tales palabras ha dicho;

preguntado, si ha dicho á algunas mujeres, persuadiéndolas de que consientan á sus maridos que tengan muchas mujeres é mancebas ó que así lo hace este confesante, que aunque es casado, tiene por su manceba á su sobrina: dixo, que nó;

preguntado, si tiene por manceba este confesante á una sobrina suya, que se dice Doña Inés, y que puesto que ha sido requerido y amonestado por los padres que la echase, no lo ha querido hacer: dixo, que es verdad que tiene á la dicha Doña Inés por su manceba y tiene en ella una hija de cuatro ó cinco años, y que la había ya dexado; y que agora, después que se casó, la tomó á traer á su casa á la dicha su sobrina, y que se lo han reprendido los padres, y que sin embargo deso, ha tenido á la dicha su sobrina por manceba;

preguntado, si después de muerto Don Pedro, su hermano deste testigo, señor que fué de Tezcuco, si fué este que declara á casa de Doña María su cuñada y se quiso echar con ella y lo intentó, y entró para ello á media noche al aposento de la dicha su cuñada, porque los tapias no le quisieron dexar entrar adonde estaba ella por la puerta ni de día: dixo, que es verdad que de noche entró solo este confesante escondido en casa de la dicha Doña María su cuñada, pero que no entró á echarse con ella;

preguntado, si lo que le es preguntado en algunas cosas dello, lo ha comunicado con algunas personas ó con el señor de México ó con el de Tacuba ó con el de Tula, ó con otros parientes suyos este confesante, ó con quien lo ha platicado: dixo, que nó;

preguntado, si ha domatizado, predicando y amonestando contra nuestra santa fee católica ó si ha hecho ó visto ó mandado hacer algunos sacrificios ó idolatrías, ó si ha persuadido y amonestado que sigan la ley de sus antepasados: dixo, que nunca tal ha dicho, ni hecho, predicado, ni amonestado;

fuéronle hechos otros apercibimientos para que dixiese é confesase la verdad, el cual dixo que no sabe otra cosa más de lo que ha dicho é depuesto de suso; y que aquello es la verdad para el juramento que hizo, é afirmóse en ello, é firmólo de su nombre, y asimismo su Señoría y los dichos intérpretes lo firmaron.–Fray Juan, Obispo de México.– Fray Antonio Civitatensis, mr. Provincialis.-Fray Bernardino de Sahagún.–Don Carlos.–Juan González.– (Rúbricas).

XXVII.- Nombramiento de Fiscal, Defensor y Procurador

E después de lo suso dicho, en primero día del mes de Agosto, año suso dicho de mil é quinientos é treinta é nueve años, estando en Audiencia pública del Santo Oficio el Reverendo señor Juan Rebollo, Provisor de esta Ciudad de México, é Juez Comisario deste Santo Oficio por ausencia del Señor Obispo Inquisidor Apostólico, por ante mí el dicho Secretario, dixo: que para que en nombre de la justicia siga esta causa, acuse al dicho Don Carlos y á los demás culpados en este caso, nombraba é nombró por fiscal á Cristóbal de Canego, Nuncio de este Santo Oficio, que presente estaba; del cual tomó é rescibió juramento segund forma de derecho, y él lo hizo é prometió de usar bien é fielmente del dicho cargo é oficio de Fiscal, y lo aceptó, y el dicho Señor Comisario le dió poder para que lo use segund que de derecho en tal caso se requiere, y le mandó que para la primera audiencia ponga la acusación al dicho Don Carlos, preso, con apercibimiento que pasado el dicho término, no se la poniendo, se hará en el caso justicia. (Rúbrica).

Después de lo suso dicho, en este dicho día, el dicho Señor Juez Comisario: dixo, que por cuanto el dicho Don Carlos es indio y no sabe las leyes y disposiciones y términos que ha de goardar y llevar para se defender en esta causa, y porque no quede indefenso, le nombraba por su defensor á Vicencio de Riverol, Procurador de Causas, para que le defienda y ayude en esta causa; é que si quisiere letrado que también se le dará, nombrándolo él; al cual dicho Vicencio de Riverol hizo parescer ante sí en la dicha audiencia, y tomó é rescibió dél, el juramento é solemnidad que de derecho en tal caso se requiere.

El cual lo hizo é aceptó el dicho cargo, é so cargo del dicho juramento, lo prometió de defender al dicho Don Carlos, bien é fielmente, allegandole y procurando su provecho, y arrecusándole su dapño, y donde fuere menester tomarlo, habiendo consejo de letrado, y en todo haciendo y procurando lo que bueno é fiel defensor debe y es obligado á hacer, por manera que no quede indefenso; é pidió se le dé traslado de todo lo que contra el dicho Don Carlos se pone é pide para responder é alegar de su justicia, é firmólo.–Testigos: el señor Licenciado Loáyza y Cristóbal de Canego.–Vicencio de Riverol.–(Rúbrica).

Asímismo mandó su Señoría Reverendísima, que el licenciado Téllez le ayude de letrado al dicho Don Carlos y le defienda.

Después de lo suso dicho, en cinco días del mes de Agosto del dicho año de mill é quinientos é treinta é nueve años, ante su Señoría Reverendísima y en prescencia de mí el dicho Miguel López, Secretario en el Audiencia del Santo Oficio, paresció presente Cristóbal de Canego, Fiscal nombrado para esta causa, y presentó el escrito de acusación que se sigue:

XXVIII.- Acusación del Fiscal Cristóbal de Caniego.

Reverendísimo Señor:

Cristóbal de Caniego, Nuncio y Fiscal del Santo Oficio de la Inquisición, comparesco ante vuestra Señoría y premisas las solemnidades en derecho establecidas, que en este caso se requieren, acuso criminalmente á Don Carlos, principal del pueblo de Tezcuco, preso en la cárcel del Santo Oficio; y contando el caso desta mi acusación: digo, que siendo Pontífice en la Silla Apostólica Nuestro muy Santo Padre Paulo Tercero, y reinando en estos reinos la Cesárea Católica Majestad del Emperador Don Carlos, Rey Nuestro Señor, y siendo vuestra Señoría Obispo deste Obispado é Inquisidor Apostólico en él, el dicho Don Carlos, por mí acusado, que en lengoa de indio se dice Chichimecatecotl, con poco temor de Dios y en grande peligro de su ánima y conciencia, y en mucho menosprecio de las justicias de los dichos señores, siendo como es xpiano bautizado, y criado, enseñado y dotrinado en la iglesia de Dios, olvidando á Nuestro Señor Dios y á su fee y dotrina santa, ha idolatrado y sacrificado y ofrescido á los demonios; dicho, publicado é hecho y defendido y aprobado muchas herejías y errores heréticos muy escandalosos, theniendo como thenía en el dicho pueblo de Tezcuco, en una casa suya, dos adoratorios de sus ídolos y demonios que antiguamente solían adorar, con goardas puestos en la dicha casa, para que los goardasen y los reverenciasen, adonde el dicho Don Carlos iba y entraba muchas veces, de noche y de día, solo y acompañado, adorar y á reverenciar y á ofrescer y sacrificar á los dichos ídolos, que eran muchos y de muchos nombres, y de diversas maneras puestos en los dichos adoratorios, dentro de las paredes y encalados por encima porque no se viesen; é asimismo el dicho Don Carlos, con diabólico pensamiento ha impedido y perturbado que no se predique ni enseñe la dotrina xpiana, desciendo y afirmando que toda ella es burla, y que lo que los frayles predicaban no era nada; y persuadiendo que ninguno fuese á la iglesia á oir la palabra de Dios ni nadie pusiera su corazón en la palabra de Dios, porque no tenían ninguna certidumbre, y que no amasen á Dios, y que era pecado hacer creer á los indios esta ley de Dios y dotrina xpiana, porque su padre y agiielo habían sido muy grandes profetas; y que habían dicho que la ley que ellos goardaban era la buena, y que sus dioses eran los verdaderos; domatizando públicamente como hereje, queriendo introducir la seta de sus pecados y volver á la vida perversa y herética que antes que fuesen cristianos solían thener; desciendo y persuadiendo asimismo que cada uno había de vivir en la ley que quisiese, y que no era pecado thener muchas mujeres y mancebas, ni emborracharse, antes aprobando que aquello era lo bueno y poniendo para ello muchos enxemplos y razones heréticas y reprobadas, y desciendo que él, aunque era casado *in facie eclesia*, no por eso dexaba de thener otras mujeres é mancebas, y que una sobrina suya thenía por manceba, como la ha thenido y tiene públicamente y tiene hijos en ella; y desciendo que él goardaba y thenía lo que sus antepasados tuvieron é goardaron, y persuadiendo á todos que lo mismo habían de hacer, y que goardasen la ley de sus antepasados; y desciendo y enseñando otras muchas proposiciones falsas y heréticas y erróneas y muy escandalosas, en las cuales heréticas y escandalosas palabras y pláticas y otras muchas que ha hecho é dicho que protesta de declarar, ha escandalizado y alborotado mucha gente desta Nueva España, especial en los lugares en que ha residido, porque paresce el dicho Don Carlos quererlos domatizar, volver y restituir á las idolatrías y sacrificios antiguos, herejías y errores suso dichos, toda la gente desta Nueva España, segund parece y está claro por la intención y afición é voluntad conque introducía, declaraba y defendía, y aprobaba los dichos errores y herejías muy escandalosas; y que si Dios por su misericordia no tuviera plantada y arraigada tan bien su santa fee cathólica y precetos della, en los corazones de algunos de los que han oído al dicho Don Carlos platicar y persuadir las dichas herejías y errores y otras muchas cosas diabólicas que les decía y platicaba, pudiera ser haber perturbado mucha parte desta tierra, de que Dios Nuestro Señor fuera muy deservido y recrecieran muchos escándalos y alborotos, en lo cual el dicho Don Carlos ha cometido, allende de las penas en derecho establecidas contra los semejantes domatizadores, grandes y muy gravísimos y atroces delitos, por los cuales debe ser castigado y ponido, grave y atroz y públicamente, condenándole como á hereje domatizante, relaxándole si necesario fuere al brazo seglar, haciendo en su persona é bienes todos los autos, comparescencias é castigos que en tal caso se requiere y este Santo Oficio suele y acostumbra hacer;–

porque á Vuestra Señoría pido é suplico, que habiendo esta mi relación por verdadera, en la parte que della me basta por declarar mi intención, mande executar y execute en el sobre dicho Don Carlos todas las sobre dichas penas, y le mande confiscar todos sus bienes, pues de derecho por los dichos delitos están confiscados, y los mande aplicar al fisco deste Santo Oficio, para todo lo cual y en lo necesario el Santo Oficio de Vuestra Señoría imploro, é pido justicia; ó si otra demanda ó acusación más agraviada debo poner contra el dicho Don Carlos, aquella pongo, segund que de derecho en este Santo Oficio se requiere poner y juro á Dios y á esta señal de la cruz que esta acusación no la pongo de malicia, salvo porque soy informado que pasa así y por alcanzar complimiento de justicia, el cual pido con costas.

E así presentado el dicho escripto, en la manera que dicha es, luego el dicho Fiscal juró la dicha acusación en forma de derecho, é pidió lo en ella contenido, é justicia.–

XXIX.– Traslado al Defensor.

E luego su Señoría Reverendísima mandó traslado á la otra parte, que diga é responda para la primera audiencia, con apercibimiento en forma, en faz de Riverol, el cual dixo que lo oía.

XXX.– Defensa presentada por Vicencio de Riverol.

E después de lo suso dicho, en veinte é dos días del mes de Agosto del dicho año, ante su Señoría Reverendísima y en prescencia de mí el dicho Secretario, paresció presente el dicho Vicencio de Riverol en nombre del dicho Don Carlos, preso, y presentó el escripto que se sigue:

Reverendísimo Señor: Don Carlos, vecino del pueblo de Tez-cuco, natural desta tierra, respondiendo á la acusación contra mí puesta por parte del Fiscal del Santo Oficio de la Inquisición, la cual siendo aquí resumida, digo, que no procede ni de derecho se debe recibir por lo que se sigue:

Lo primero, porque es puesta por no parte é porque por ella no consta del tiempo ni de día ni de mes ni de año en que yo hubiese cometido é fecho lo contenido en la dicha acusación, é no se expresando lo dicho, yo no puedo dar cierto descargo ni mostrar mi inocencia, todo lo cual se requiere de derecho en las semejantes acusaciones, é si necesario es, niego la dicha acusación como en ella se contiene;

lo otro, porque lo contenido en la dicha acusación es testimonio que se me levanta, porque yo desde mi niñez me crié debaxo de la dotrina é administración del Marqués del Valle, porque luego como esta tierra se ganó, yo estuve en su casa, é debaxo de su dotrina, é despúes que en esta tierra vinieron los frayles é fui bautizado, yo he estado debaxo de su administración é gobernación y ellos me han mostrado la dotrina xpiana, la cual yo he tenido é goardado después que rescibí el agoa del santo bautizmo, como cathólico xpiano, temeroso de Dios Nuestro Señor, é que tengo é creo lo que tiene é cree nuestra Santa Madre Yglesia: yo he goardado los dómingos é fiestas, oyendo misa é sermones de los padres que nos predican, é como persona principal que soy del dicho pueblo, he fecho que otros los goarden é oigan, é esto es público y notorio en el dicho pueblo, é si algund testigo hay que diga lo contrario deste é otros, aquello lo dirán con mala voluntad é odio que me tienen, é porque yo no sea señor del dicho pueblo é gobernador, lo cual me viene por legítima subcesión, é por tal legítimo heredero mi hermano señor que fué del dicho pueblo me nombró en su testamento al tiempo que falleció, é porque siendo gobernador del dicho pueblo les tengo de castigar é corregir á esos que contra mí han depuesto sus eccesos é malas costumbres, como ellos lo saben que lo he hecho, é corregir, é castigar, todo, lo cual protesto averiguar particularmente en los artículos probatorios; lo que en este caso pasa es lo contenido en mi confesión, que protesto que todo lo que dixiere é alegare en difinición de mí justicia, no se ha visto apartarme de lo contenido en mi confesión;

porque pido é suplico á vuestra Señoría Reverendísima, me mande dar por libre é quito de lo que se me pide, é me declare por buen xpiano, temeroso de Dios é de mi conciencia, é que sigo en su santa dotrina, segund é como se me ha mostrado, é sobre todo pido entero cumplimiento de justicia, é negando lo perjudicial, é cesando inovación, concluyo é pido ser rescibido á prueba.–El licenciado Téllez. (Rúbrica).

XXXI.– Traslado al Fiscal y notificación.

E así presentado el dicho escripto, en la manera que dicho es, luego su Señoría Reverendísima mandó dar traslado al Fiscal que diga é concluya para la primera audiencia con lo que dixiere é no por cuanto es forma.

Este día, yo el dicho Secretario, notifiqué lo suso dicho al dicho Fiscal en su persona.–(Rúbrica).

XXXII.– Escrito del Defensor.

E después de lo suso dicho, en veinte é seis días del mes de Agosto del dicho año, ante su Señoría Reverendísima y en prescencia de mí el dicho Miguel López, paresció presente el dicho Vicencio de Riverol, é presentó el escripto que se sigue:

Reverendísimo Señor: Don Carlos, preso, en el pleito que trato con Cristóbal de Caniego, Nuncio y Fiscal deste Santo Oficio, digo: que yo tengo necesidad de proveerme de algunas cosas necesarias para mi mantenimiento y de otras cosas, y me conviene acerca de lo suso dicho de hablar con algunos indios para decirles algunas cosas que me conviene acerca de lo suso dicho, como en avisarles y encomendarles de lo que han de decir á mi Letrado y Procurador;

por ende, pido y suplico á Vuestra Señoría Reverendísima, que mande dar licencia para que pueda hablar con los indios que por mí fueren nombrados delante del Fiscal, Nuncio deste Santo Oficio, en lo cual Vuestra Señoría administrará justicia y yo recibiré bien y merced:

XXXIII.– Diversas diligencias.

E así presentado el dicho escripto, en la manera que dicho es, luego su Señoría Reverendísima dixo que le verá é hará justicia

E después de lo suso dicho, en veinte é nueve días del mes de Agosto del dicho año, ante Su Señoría Reverendísima, paresció presente el dicho Cristóbal de Caniego, Fiscal; é presentó el escripto que se sigue:

Reverendísimo Señor: Cristóbal de Caniego, Nuncio é Fiscal deste Santo Oficio de la Inquisición, en el pleito que trato con Don Carlos, indio, preso, digo: que afirmándome en mi acusación, negando lo perjudicial, concluyo é pido ser rescibido á la prueba, y pido justicia.

E así presentado el dicho escripto, en la manera que dicho es, luego su Señoría Reverendísima visto que ambas parte han concluido, dixo: que él asimismo concluía i concluyó contra ellas, é había é hobo este pleito por concluso, y que debía de rescibir y rescibía en él á prueba á ambas las dichas partes de lo que probado les puede aprovechar, *salvo jure in pertinent caus et no administrendus*, para la cual prueba hacer, é la traer, é presentar ante Su Señoría, les dió é asinó terminó de treinta días primeros seguientes, é en cuanto ella, apercibió á las partes en forma para ver, presentar, jurar é conocer los testigos, que la una parte presentase con la otra é la otra contra la otra, segund que en este Santo Oficio se suele y acostumbra hacer, é así lo pronunció é mandó juzgando en haz del dicho Caniego.–(Rúbrica).

E después desto, en este dicho día, yo el dicho Secretario notifiqué lo suso dicho al dicho Vicencio de Riverol, en el dicho nombre; testigo, el dicho Caniego.–(Rúbrica).

E después de lo suso dicho, en dos días del mes de Septiembre del dicho año de mill é quinientos é treinta é nueve años, ante su Señoría Reverendísima, y en prescencia del dicho Secretario, paresció presente el dicho Vicencio de Riverol, é presentó en nombre del dicho Don Carlos, el escripto que se sigue:

Reverendísimo Señor: Don Carlos, preso en la cárcel deste Santo Oficio, dice: que porque él ha pedido que le dexen hablar con su letrado y procurador y con otras personas de quien se ha tenido aprovechar y á defención de su justicia; fuéle respondido, que le señalaban un religioso de Sant Francisco que estuviese presente al tiempo que él negociase, pide y suplica á Vuestra Señoría Reverendísima, que nombre qué religioso ha de ser, porque de la dilación se recibe perjuicio.

Otro sí, dice, que pues que él tiene bienes y se le han secrestado, que dellos mande dar y pagar el salario que han de haber su letrado y procurador principal, que por él aleguen y defiendan su justicia, y así lo pide y pide justicia.– (Rúbrica).

E así presentado el dicho escripto, en la manera que dicho es, luego su Señoría Reverendísima, dixo: que en cuanto á lo primero que pide, no ha lugar; y en lo de la paga que pide para el letrado é procurador, que se vendan sus bienes y se le dé lo que fuere menester para su defensa.

E después de lo suso dicho, en cinco días del mes de Septiembre del dicho año, ante su Señoría Reverendísima, paresció presente el dicho Vicencio de Riverol é presentó el escripto que se sigue:

Reverendísimo Señor: El licenciado Diego Tellez é Vicencio de Riverol, Letrado é Procurador de Don Carlos, preso en la cárcel deste Santo Oficio, pedimos é suplicamos á Vuestra Señoría, mande dar su mandamiento para que de sus bienes séamos pagados del salario que hemos de haber por defender su causa, por cuanto están sus bienes secrestados é sin el dicho mandamiento no se pueden vender para ser pagados, é pedimos justicia.–(Rúbrica).

Así presentado el dicho escripto en la manera que dicho es, luego su Señoría, dixo: que se alza cualquier secreto para que se paguen letrado é procurador hasta en cuantidad de treinta pesos de oro.

E después de lo suso dicho, en veinte é tres días del mes de

Septiembre del dicho año, ante su Señoría Reverendísima y en prescencia de mí el dicho Secretario, paresció presente el dicho Vicencio de Riverol, en nombre del dicho Don Carlos, é presentó el escripto que se sigue:

Reverendísimo Señor: Don Carlos, indio, preso, natural de Tezcuco, en el pleito que trato, con Cristóbal de Caniego Nuncio y Fiscal deste Santo Oficio, dice que en el término probatorio no ha podido hacer su probanza, pide é suplica á Vuestra Señoría Reverendísima que me prorrogue otros treinta días de término, é pido justicia.

E así presentado el dicho escripto, en la manera que dicho es, luego su Señoría Reverendísima, dixo: que le prorrogaba y prorrogó el dicho término por otros treinta días que se contarán sobre el tiempo que se les dió y contado que sea común á ambas partes, é gozen dél si quisieren, é así lo pronunció é mandó juzgando en haz del dicho Riverol.

E después de lo suso dicho, en este dicho día, yo el Secretario notifiqué lo suso dicho al dicho Cristóbal de Caniego Fiscal en su persona.

XXXIV.– Interrogatorio presentado por el Defensor.

E después de lo suso dicho, en este dicho día, ante su Señoría Reverendísima y en prescencia de mí el dicho Secretario, paresció presente el dicho Vicencio de Riverol, en nombre del dicho Don Carlos, é presentó el interrogatorio de preguntas que se sigue:

Por las preguntas seguientes sean preguntados y examinados los testigos que son é fueren presentados por parte de Don Carlos en el pleito que trata con Cristóbal de Caniego, Nuncio é Fiscal del Santo Oficio de la Inquisición.

Primeramente sean preguntados si conoscen al dicho Don Carlos, indio, preso en la cárcel del Santo Oficio, y si conoscen al dicho Caniego, Fiscal dél, y de qué tiempo á esta parte;

iten si saben é respondan, que el dicho Don Carlos, desde niño pequeño que era al tiempo que esta Cibdad de México se ganó, estuvo debaxo de la administración y gobernación del Marqués del Valle, y lo tuvo en su casa, y debaxo de su dotrina, y esto es público é notorio, digan lo que saben;

iten si saben é respondan, que después que los frailes franciscos vinieron á esta tierra, luego el dicho Don Carlos estuvo debaxo de la dotrina y administración de ellos, y después de dotrinado en las cosas de nuestra santa fee cathólica y debaxo de la dicha administración, pidió de su voluntad el santo sacramento del bautismo y fué bautizado como cathólico y fiel xpiano, digan lo que saben;

iten si saben que el dicho Don Carlos después que recibió el agoa del bautizmo, siempre ha oído misa y los sermones de los frailes, y ha goardado los domingos é fiestas, como xpiano, y se ha confesado y se confiesa en los tiempos que la Santa Madre Iglesia lo manda, é digan lo que saben;

iten si saben que el dicho Don Carlos, presentes los frailes franciscos, ha publicado la dotrina xpiana á los otros indios, y los ha industriado en las cosas de nuestra fee, y les ha predicado la dicha dotrina públicamente, y ha atraído muchos indios á las cosas de nuestra fee, reprehendiéndoles á los otros indios no convertidos los vicios y idolatrías hasta hacerlos convertir é bautizar, y esto es público é notorio, digan lo que saben;

iten si saben que el dicho Don Carlos es habido y tenido por buen xpiano entre las personas que lo conoscen, digan lo que saben;

iten si saben que todo lo suso dicho es público y notorio.–El licenciado Téllez.–(Rúbrica).

E así presentado el dicho interrogatorio, luego su Señoría dixo que lo había é hobo por presentado en cuanto es pertinente é no en más ni allende, y por él se examinen los testigos que fueren presentados por el dicho Don Carlos.–(Rúbrica).

XXXV.- Ratificaciones de los testigos.

E después de lo suso dicho, en veinte é cuatro días del mes de Septiembre del dicho año, ante su Señoría Reverendísima y en prescencia de mí el dicho Miguel López, Secretario, paresció presente, el dicho Xpoual de Caniego, Fiscal, é presentó por testigos en este pleito para en prueba de su intención á Don Alonso, Cacique del pueblo de Chiconabtla, é á Francisco Maldonado, é Xoual, é á Melchior, indios principales del dicho pueblo de Chiconabtla, de los que les fué tomado é rescibido juramento, segund forma de derecho, y ellos lo hicieron é prometieron de decir verdad; é siendo preguntados por lengoa de Aluaro de Zamora, intérprete, el cual asimismo juró: dixieron é depusieron lo siguiente, siendo preguntados cada uno de ellos, por sí, secreta y apartadamente:

El dicho Don Alonso, indio señor del pueblo de Chiconabtla, testigo presentado en la dicha razón, habiendo jurado segund forma de derecho é siendo preguntado por el thenor de la acusación por lengoa de Aluaro de Zamora, intérprete, del cual asimismo se rescibió juramento en forma: dixo, que este testigo tiene dicho su dicho sobre este caso ante su Señoría Reverendísima y por prescencia de mí el dicho Secretario, el cual siéndolo mostrado é leído y dado á entender por lengoa del dicho intérprete: dixo, que lo que dixo en el dicho su dicho es la verdad, y pasó como en el dicho su dicho se cuenta y en ello se retificaba é retificó, é si necesario era, agora de nuevo decía aquello mismo, porque así es la verdad para el juramento que hizo; y afirmóse en ello, y siendo preguntado por las preguntas generales: dixo, que es de edad de más de treinta é cinco años, y que el dicho Don Carlos es cuñado deste testigo, y que no tiene odio ni mala querencia ni enemistad al dicho Don Carlos, antes le quiere bien; y que esta es la verdad para el juramento que hizo, é no firmó porque dixo que no sabía escribir, y el dicho intérprete lo rubricó de su señal–Miguel López, Secretario.–(Rúbrica).

El dicho Francisco Maldonado, indio principal que dixo ser del pueblo de Chiconabtla, testigo presentado en la dicha razón, habiendo jurado segund forma de derecho, é siendo preguntado por el thenor de la dicha acusación por lengoa del dicho Aluaro de Zamora, intérprete: dixo, que lo que tiene dicho en su dicho de lo que deste caso sabe ante su Señoría Reverendísima, una vez en la iglesia de Santiago de Tatelulco é otra en el pueblo de Chiconabtla, por prescencia de mí el dicho Secretario, é siéndole mostrados sus dos dichos que estaban en este proceso firmados de su nombre, y habiéndoselos dado á entender por lengoa del dicho intérprete: dixo, que lo que tiene dicho en los dichos sus dichos es la verdad y lo que sabe deste caso, y en ello se retificaba é retificó é si necesario era, agora de nuevo descia aquello mismo, porque así es la verdad para el juramento que hizo, é siendo preguntado por las preguntas generales: dixo, que es de edad de veinte é ocho años, é que no lo tocan ni empecen ninguna de las preguntas generales más de que el dicho Don Carlos es su tío deste testigo, é que no tiene odio, ni enemistad al dicho Don Carlos, ni lleva otro interese ni ha sido sobornado ni inducido ni dadivado para que dixiese su dicho, sino que lo dixo porque así es verdad y pasó como en sus dichos se contiene, y que es verdad que el dicho Don Carlos es deudo deste testigo, su tío; y afirmóse en ello, y firmólo de su nombre.–Miguel López, Secretario.–Francisco Maldónado.–(Rúbricas).

El dicho Xpoual, indio, principal del pueblo de Chiconabtla, testigo presentado en la dicha razón, habiendo jurado segund forma de derecho é siendo preguntado por el thenor de la acusación por lengoa del dicho Aluaro de Zamora, intérprete: dixo, queste testigo tiene dicho su dicho de lo que de este caso sabe, el cual siéndole mostrado por mí el dicho Secretario y dádosele á entender por el dicho intérprete: dixo, que lo que dixo en el dicho su dicho es la verdad, y que en ello se retificaba é retificó, é si necesario era, agora de nuevo decía aquello mismo, porque así es la verdad para el juramento que hizo; é respondiendo á las preguntas generales: dixo, que es de edad de treinta años, poco más ó menos, é que no es pariente de ninguna de las partes ni le tocan ni empecen ninguna de las otras generales ni tiene odio ni enemistad con el dicho Don Carlos, é desea que venza el que tuviere justicia; y que esta es la verdad para el juramento que hizo, é afirmóse en ello, y firmólo de su nombre.–Miguel López, Secretario.–Xpoual.–(Rúbrica).

El dicho Melchior, indio principal del pueblo de Chiconabtla, que en lengoa de indio se dice Aculnahuacatl, testigo presentado en la dicha razón, habiendo jurado segund forma de derecho é siendo preguntado por lengoa del dicho Aluaro de Zamora, intérprete: dixo, que este testigo tiene dicho su dicho ante su Señoría

Reverendísima, el cual siéndole mostrado por mí el dicho Secretario, é dado á entender por el dicho intérprete: dixo, que lo que dixo en el dicho su dicho, es verdad, y en ello se retificaba é retificó, é si nescesario era agora de nuevo decía aquello mismo, porque así es la verdad para el juramento que hizo, é afirmóse en ello; é siendo preguntado por las preguntas generales de la ley: dixo, que es de edad de más de treinta años, é que no es pariente de ninguna de las partes ni tiene odio ni enemistad ni mala voluntad al dicho Don Carlos ni le toca ni empece ninguna de las otras generales, y que desea que venza el que tuviere justicia, y que esta es la verdad, é afirmóse en ello, y no firmó porque dixo que no sabía escribir, y el dicho intérprete lo rubricó de su señal. Miguel López.– (Rúbrica).

E después de esto, en veinte é seis de Setiembre del dicho año, el dicho Cristóbal de Caniego, presentó por testigo á Doña María, india, mujer de Don Alonso, señor de Chiconabtla, de la cual fué tomado é rescibido juramento en forma, y ella lo hizo é prometió de decir verdad.

E la dicha Doña María, testigo presentada en la dicha razón, habiendo jurado segund forma de derecho é siendo preguntada por el thenor de la dicha acusación: dixo, que esta que depone tiene dicho su dicho en este caso ante su Señoría Reverendísima, el cual siéndole leído y dádole á entender por lengoa de Diego, intérprete, dixo que lo que tiene dicho en el dicho su dicho es la verdad; y lo que de este caso sabe y en ello se retificaba é retificó, é si nescesario es que agora de nuevo dice aquello mismo, porque así es la verdad para el juramento que hizo, y afirmóse en ello, y siendo preguntada por las preguntas generales de la ley: dixo, que es de edad de más de treinta años, y que el dicho Don Carlos y esta que depone son hermanos, hijos de un padre, pero que por eso no ha de dexar de decir la verdad é especialmente en las cosas que son contra Dios, é que no le tocan ni empecen ninguna de las otras generales, que venza quien justicia tuviere, y afirmóse en ello é no firmó porque dixo que no sabía escribir.–(Rúbrica).

E después de lo suso dicho, en la dicha Cibdad de México, en nueve días del mes de Octubre del dicho año de mill é quinientos é treinta é nueve años, yo, Martín de Zabala, Receptor del Santo

Oficio de la Inquisición, por mandado é comisión de su Señoría del Obispo de México, Inquisidor Mayor Apostólico, tomé é rescibí juramento en forma de derecho de un indio que está preso en la posada de su Señoría, que se llama Pedro, vecino natural del pueblo de Tezcuco, el cual habiendo jurado como dicho es, haciéndole entender la confusión del dicho Alonso Matheos, intérprete del Santo Oficio, habiendo jurado asimismo de interpretar bien é fielmente, desciendo el dicho indio lo que yo le dixiese é haciéndome asentar lo que él respondiese, él cual prometió de así lo hacer.

Fué preguntado, cómo se llamaba é de donde era natural: dixo, que se llamaba Pedro, é que es xpiano, é natural del pueblo de Tezcuco, é vecino é casado en el dicho pueblo, é que es de edad de treinta años, poco más ó menos, y que es cuñado del dicho Don Carlos, al cual há muchos días que le conosce porque se criaron juntos; y que sobre lo que yó el Receptor le pregunto, tiene dicho é declarado su confesión ante su Señoría del Señor Obispo, é Miguel López, Secretario del Santo Oficio, la cual dicha confesión é declaración, yo el dicho Martín Zabala, se la mostré y leí de *verbum ad verbo*, por sus capítulos, é la dicha lengoa se lo declaró en mi prescencia, é dixo que aquello que él thenía declarado en el dicho su dicho era la verdad de lo que sabía en el caso, é que en ello se afirmaba é se afirmó, é si nescesario era, de nuevo lo descía é lo retificaba é retificó; é no firmó por no saber, y el dicho Alonso Matheos como intérprete lo firmó.–Alonso Matheos.–(Rúbrica).

E después de lo suso dicho, día é mes é año, yo el dicho Martín de Zabala, Receptor, tomé é rescibí juramento en forma de derecho por la dicha lengoa, de un indio que asímismo estaba preso en la posada de su Señoría, que dixo que se llamaba Lorenzo Myxcoatlaylotla, el cual habiendo jurado como dicho es, é asímismo el dicho intérprete: dixo lo siguiente:

Preguntado, cómo se llama, dixo que se llama Lorenzo Mixcóatl, é que es xpiano bautizado, é natural é vecino de Tezcuco é casado, é que es de edad de treinta é cinco años, poco más ó menos, é que es pariente del dicho Don Carlos en cierto grado, aunque no sabe en qué grado, el cual dixo por la dicha lengoa que él tenía dicho é declarado su confesión ante su Señoría del Señor Obispo é de Miguel López, Secretario del Santo Oficio, la cual dicha confesión por mí el dicho Receptor le fué mostrada é leída, verbo por verbo, é por la dicha lengoa declarada: dixo, que lo que así estaba escripto en su dicho era verdad é lo que sabía del caso, é que en ello se afirmaba é se afirmó, é retificaba é se retificó, é si nescesario era, de nuevo lo decía; é no firmó por no saber, y el dicho intérprete lo firmó de su nombre.–Alonso Matheos.–Pasó ante mi, Martín de Zabala, Receptor del Santo Oficio.–(Rúbricas).

XXXVI.– Petición del Fiscal y auto de su Señoría.

E despúes de lo suso dicho, en cuatro días del mes de Noviembre del dicho año de mill é quinientos é treinta é nueve años, ante su S. Reverendísima y en prescencia de mí el dicho Secretario, paresció presente el dicho Cristóbal de Caniego, Fiscal, é dixo que los términos probatorios son pasados é días más, que pedía é pidió publicación é pidió justicia:
E luego su Señoría mandó dar traslado á la otra parte.

XXXVII.– El defensor pide prórroga para hacer su probanza.

E despúes de lo suso dicho, en este dicho día, ante su Señoría Reverendísima paresció presente el dicho Vicencio de Riverol, en nombre del dicho Don Carlos, é presentó el escripto que se sigue:
Reverendísimo Señor: Don Carlos, indio, preso en la cárcel de este Santo Oficio: dice que para hacer su probanza tiene necesidad de otros quince días de término, pide é suplica á Vuestra Señoría Reverendísima se los prorrogue é pide justicia.

XXXVIII.– Auto negando la prórroga.

E así presentado el dicho escripto en la manera que dicha es, luego su Señoría Reverendísima: dixo, que se le han dado muchos términos é no ha hecho diligencia ninguna y no ha lugar lo que pide, por que es fuera de término, por tanto, que había é hobo este pleito por abierto é publicado, y por hecha la dicha publicación en forma; é que se dé traslado de este proceso á las partes, segund es uso é costumbre en este Santo Oficio se le dén, para que digan é aleguen de su derecho en el término de la publicación si quisieren é así lo mandó en haz de los dichos Vicencio de Riverol é Caniego, Fiscal.–(Rúbrica).

XXXIX.– Escrito del defensor pidiendo reposición del auto.

E después de lo suso dicho, en siete días del mes de Noviembre del dicho año de mill é quinientos é treinta é nueve años, ante el Señor Obispo, Juez Inquisidor suso dicho, y en prescencia de mí el dicho Miguel López de Legazpi, Secretario, paresció presente el dicho Vicencio de Riverol, en nombre é como defensor del dicho Don Carlos, é presentó el escripto que se sigue:

Reverendísimo Señor: Don Carlos, indio, preso en la cárcel de este Santo Oficio, digo: que ayer se mandó hacer publicación en mi caso, é porque estando como yo estoy preso, no he podido traer los testigos para mi defensa como á Vuestra Señoría Reverendísima es notorio, y no embargante que mi Procurador ha dado la memoria de los testigos al naguatato, y á otras personas que hacen por mí no los han traído, é por esta neglisencia no es á cargo de mi Procurador ni al mío no me ha de hacer daños, especialmente en cabsa criminal como es la que contra mí se hace, y de esta dicha probanza depende mi defensa y todo mi descargo, segund derecho no se ha de concluir la cabsa conmigo sin admitirme la dicha defensa, porque cuanto á esto siempre está abierto el proceso, y pues los términos que Vuestra Señoría sigue en este juicio é se han de goardar son arbitrarios, Vuestra Señoría me ha de dar el dicho término que tengo pedido, sin embargo del auto de la publicación, porque aquél es interlocutorio y aquí se procede de apelación remota, por cuya cabsa el dicho apto no temía reparo en la difinitiva, si yo no fuese oído é mis testigos rescibidos en mi defensa, y pues Vuestra Señoría puede reponer el dicho abto segund derecho, pido prorrogación del dicho término como tengo pedido, y que el dicho apto se reponga, y que este escripto se ponga en el proceso de la cabsa, é pido justicia.–(Rúbrica).

XL.– Nuevo auto negando lo solicitado por el defensor.

E así presentado el dicho escripto, en la manera que dicha es, luego su Señoría Reverendísima: dixo, que él ha tenido y se le han dado muchos términos en que pudiera haber traído sus testigos, y hecha su probanza, mayormente estando en la cibdad y tan cerca de ella, y que lo que pide, es más malicia que defensa, y que no ha lugar lo que pide, porque su Señoría sabe por qué mandó hacer la dicha publicación, é que sin embargo de lo que pide, se manda lo mandado.

XLI.– Dáse por concluso el proceso.

E despúes de lo suso dicho, en once días del mes de Noviembre del dicho año, ante su Señoría Reverendísima y en prescencia de mí el dicho Secretario, parescio presente el dicho Cristóbal de Caniego, Fiscal, é presentó el escripto que se sigue:

Reverendísimo Señor: Cristóbal de Caniego, Nuncio é Fiscal del Santo Oficio de la Inquisición, paresco ante Vuestra Señoría en el pleito criminal que trata con Don Carlos, preso en esta cárcel del Santo Oficio: digo, que el término de la publicación es pasado y días más: á Vuestra Señoría Reverendísima pido é suplico haya el pleito por concluso definitivamente, é lo determine que yo concluya, é pido justicia.

E así presentado el dicho escripto, en la manera que dicha es, luego su Señoría mandó dar su treslado á la otra parte, que para la primera audiencia diga é concluya, con apercibimiento en forma.

E despúes de lo suso dicho, en este dicho día, yo el dicho Secretario, estando presente su Señoría Reverendísima notifiqué lo suso dicho al dicho Vicencio de Riverol, en su persona, el cual: dixo, que asímismo concluía é concluyó definitivamente en nombre del dicho Don Carlos, su parte, porque no tenía que decir ni alegar;

E su Señoría Reverendísima, visto que ambas partes habían concluido, dixo, que él asímismo concluía é concluyó con ellas, é había é hobo este pleito por concluso en definitiva, para dar en él sentencia como por derecho hallare, para lo cual oír citaba é apercibía á las partes en forma, segund que en este Santo Oficio se suele é acostumbra hacer para luego y dende en adelante para cada día que deliberado tuviere de la dar.–(Rúbrica.).

XLII.– Que se consulten los pareceres del Virrey é Oidores.

E después de lo suso dicho, en diez é ocho días del mes de Noviembre del dicho año, su Señoría Reverendísima: dixo: que para que mejor esta cabsa se vea y determine, mandaba é mandó que este proceso se lleve al Ilustrísimo Señor Don Antonio de Mendoza, Visorrey de esta Nueva Spaña, é á los Señores Oidores estando en su acuerdo, para que por ellos visto é platicado con otras personas de ciencia é conciencia, dén su parescer y se determine lo que convenga en el caso, para lo cual señaló el Jueves primero que viene, que es día de acuerdo.

XLIII. –Consulta, lectura y relato del proceso.

E después de lo suso dicho, Jueves veinte días del dicho mes é año suso dicho, el Señor Obispo fué á acuerdo donde estaba el dicho Señor Visorrey é los señores Licenciados Ceynos, Loaysa y Tejada, Oidores, y los Reverendos Padres Vicario Provincial é Prior de la orden y monesterio de Santo Domingo de esta dicha Cibdad, y el goardián del monesterio de Sant Francisco della: delante de los cuales todos, por mí el dicho Secretario fué leído y relatado este proceso, é después de lo haber visto, dieron sus paresceres todos los cuales, vistos por Su Señoría, é visto el dicho proceso, dió é pronunció en el caso la sentencia siguiente:

XLIV.– Sentencia definitiva.

Visto este proceso, é abtos, é méritos, del que ante nos es y pende entre partes, de la una Cristóbal de Caniego, Fiscal, criado para en esta cabsa, é Nuncio del Santo Oficio, autor acusante: é de la otra reo, preso é se defendiente Don Carlos, que en nombre de indio se dice Chichimecatecotl, vecino de Tezcuco y su defensor en su nombre; visto cómo el dicho Don Carlos por el proceso está convencido de ser domatizador por mucho número de testigos, y el habello negado y no haber querido confesar su error ni pedir misericordia en caso que por nos fué avisado sería rescibido á penitencia, con misericordia, confesando sus hierros, idolatrías y ecesos; atento todo lo que y lo demás que de lo procesado resulta, á que nos referimos:

fallamos, que debemos de declarar é declaramos al dicho Don Carlos ser hereje domatizador y por tal le pronunciamos, y que le debemos de remitir é remitimos al brazo seglar de la justicia ordinaria de esta cibdad, á la cual rogamos y encargamos que con el dicho Don Carlos se hayan beninamente; condenámosle más en perdimiento de todos sus bienes aplicados al Fisco de Su Majestad deste Santo Oficio é por esta nuestra sentencia difinitiva juzgando así lo pronunciamos é mandamos en estos escriptos é por ellos; lo cual mandamos como mejor de derecho podemos é haya lugar.–Fray Juan, Obispo, Inquisidor Apostólico.– El Licenciado Loaysa.–(Rúbricas).

Dióse é pronuncióse esta sentencia por su Señoría Reverendísima estando en audiencia pública del Santo Oficio, en veinte é ocho días del mes de Noviembre, año del Señor de mill é quinientos é treinta é nueve años: é mandó se notificar á las partes.

XLV.- Pregón del auto.

E después de lo suso dicho, en Sábado veinte é nueve días del mes de Noviembre del dicho año, por mandado de su Señoría Reverendísima, se pregonó por voz de Juan González, pregonero, públicamente, por los lugares acostumbrados desta dicha cibdad, cómo mañana domingo había de haber abto el Santo Oficio, é sermón, é que todos fuesen á le oír é veer, so pena de excomunión, lo cual se pregonó por muchas partes en esta cibdad.

XLVI.– Notificación de la sentencia al fiscal.

En este día, yo el dicho Secretario notifiqué la dicha sentencia al dicho Cristóbal de Caniego, Fiscal, en su persona, el cual dixo que lo oía.

XLVII.– Auto público de fe celebrado en la Plaza de México.

E después de lo suso dicho, en Domingo treinta días del mes de Noviembre del dicho año de mill é quinientos é treinta é nueve años, que fué día de Sant Andrés Apóstol, por la mañana fué sacado el dicho Don Carlos de la cárcel de este Santo Oficio, con un Sant Benito puesto, é una coroza en la cabeza, y con una candela en las manos, y con una cruz delante fué llevado al cadalso, que para ello estaba puesto en la Plaza pública desta dicha cibdad, donde estaba mucho número de gente ayuntada, así de españoles como de naturales desta tierra: y allí, estando presentes el Ilustrísimo Señor Don Antonio de Mendoza, Visorrey é Gobernador desta Nueva Spaña por Su Majestad, y los Señores Licenciados Ceynos y Loaysa y Tejada, Oidores de la Audiencia Real desta Nueva Spaña, é otra mucha gente, su Señoría Reverendísima del Señor Obispo, Inquisidor suso dicho, predicó, y después de predicado, mandó su Señoría leer, é por mí el dicho Secretario fueron leídas y publicados, los errores y herejías y palabras heréticas por el dicho Don Carlos hechas é dichas, que en este proceso se prueban contra él, y la sentencia por su Señoría Reverendísima dada contra el dicho Don Carlos, la cual se le notificó al dicho Don Carlos y se le dió á entender por intérpretes é naguatatos: é luego, por mandado de su Señoría Reverendísima, Juan González, intérprete, predicó á los naturales desta Nueva Spaña en su contra, y les dió á entender las culpas del dicho Don Carlos y la cabsa de su penitencia y condenación: y el dicho Don Carlos, por lengoa de los intérpretes, dixo á su Señoría que él rescibía de buena voluntad, en penitencia de sus pecados, la sentencia contra él dada por su Señoría, y que estaba presto é aparejado de morir porque merecía más que aquello, segund sus maldades y culpas y errores en que había estado; é pidió licencia á su Señoría para hablar á los naturales en su lengoa para que tomasen ejemplo en él, y se quitásen de sus idolatrías, y se convirtiésen á Dios Nuestro Señor, y no los tuviese el demonio ciegos como á él lo había tenido; lo cual todo les dixo en su lengoa á los indios, segund los intérpretes dixieron; después de lo cual todo, fué entregado el dicho Don Carlos á la justicia seglar desta dicha cibdad. E la dicha justicia é alguacilles lo rescibieron é tomaron, á lo cual fueron presente por testigos el Contador Rodrigo Albornoz é Don Luis de Castilla é Francisco Maldónado e otros muchos.–Miguel López, Secretario.–(Rúbrica).

Fragmento de un Proceso
contra los indios de Ocuila

Juan é Diego, alguaciles é Pedro é Pablo é Pedro *pilnanes*, dixieron: que las mantas que se hallaron al dicho Tezcacoacatl cuando el padre fué á su casa, serían sesenta mantas é enaguas, aunque ellos no las contaron, más de que fueron con el Padre é las vieron en las dos troxes y les parescieron muchas, y que saben que el dicho Tezcacoacatl tiene por mancebas en su casa dos hermanas y con ellas se echa carnalmente, y que esto es público é notorio.

Iten: dixieron, que oyeron decir á Teautecatl, indio vecino de Ocuila, que él vido en Xocozingo una cueva y en ella muchos ídolos y alrededor sangre é cosas de sacrificio, y que se dice donde está la cueva, Tetehuecaya.

Don Juan, sacristán, que se dice Tlapancalcatl: dixo, que un indio que se dice Acatonial, tenía cargo de la guarda de los ídolos de Ocuila en una cueva, é como los padres supieron de ellos é los sacaron, podrá haber un mes, el dicho Acatonial se fué huyendo del dicho pueblo é no aparescía ni saben de él.

E después de lo suso dicho, en diez días del mes de Marzo, año suso dicho, su Señoría Reverendísima hizo parescer ante sí al Padre Fray Antonio de Aguilar, frayle de la orden del Señor Sant Agustín, el cual siendo preguntado lo que acerca de este caso sabe: dixo, que habiendo pasado predicando este que declara á los indios en el pueblo de Ocuila, tuvo indicios que un indio, que se dice Suchicalcatl, tenía en su casa ciertos ídolos y les ofrescía copal é otras cosas; y este que declara, con otro padre fué á su casa, y le halló ciertas calabazas del demonio y unas mantas pintadas que eran del demonio; y despúes este que declara tuvo noticia que en casa [de] Tezcacoacatl, indio, estaban otros ídolos, é así fué allá é halló en su casa al dicho Tezcacoacatl, borracho; y le halló ciertos ídolos y copal, é navajas, é un asentadero del dicho demonio, y dos tinajas de pulque; y el dicho Tezcacoacatl confesó que era verdad que tenía cargo de ciertos ídolos é los goardaba por mandado de un indio carpintero, que se dice Collín, que no es xpiano, que solía ser *papa*, y que aquél se los había dado á goardar había tres años; y que los ídolos estaban en el monte, que los mostraría, y que el asentadero y copal y navajas que se le hallaron en su casa, eran en memoria de aquellos ídolos, y asímismo tenía el dicho Tezcacoacatl, en su casa, en dos troxes mucha cantidad de mantas, que algunos indios decían eran ofrescidas al demonio; y el dicho Tezcacoacatl decía que no eran sino suyas, y por esto, este que declara, no quiso ni consintió tocar en las mantas por no ser cierto que eran del demonio; y le tomó las navajas é copal é cosas que le parescieron ser del diablo, y le derramó el pulque y quebró las tinajas en que lo tenía; y fué al monte donde decía que estaban los ídolos, y en una cueva, hallaron dos ídolos de palo, grandes, é los hizo traer al monestetio de Ocuila y allí predicó é amonestó á los indios de parte del Señor Obispo, que todos los que tuviesen ídolos ó cosas de sacrificio, los diesen é descubriesen, porque eran vanos dioses é no tenían virtud ninguna, é que supiesen, que si no los daban é su Señoría los descubriese é supiese de ellos por otra parte, que los castigaría, y que se acordásen de Don Carlos y de otros que su Señoría había castigado por ello; y para mostrarles de cuán poca virtud eran aquellos ídolos en quien tenían su esperanza, los hizo quemar delante de todo el pueblo con las cosas de sacrificio que de ellos halló, para que con más ánimo, los viniesen á descubrir los otros que los tuviesen; y los indios, visto aquello, de su voluntad truxieron al dicho monesterio muchos ídolos é cosas de sacrificio, é los dieron: todo lo cual llevó el Padre Fray Antonio á México, para darlo á su Señoría, para que su Señoría hiciese en ello justicia como Inquisidor Apostólico; é que cuando les predicó é amonestó que descubriesen los ídolos y quemó los que había hallado, para poner temor en los otros, azotaron á Tezcacoacatl y á Collín, carpintero, que no era xpiano, porque habían tenido aquellos ídolos, é á otros que no eran xpianos ni babtizados que se hallaron culpantes y que ofrescían á los ídolos; y que esta es la verdad y lo que pasó en este caso, y por el hábito que tiene y por las órdenes que rescibió, y firmólo de su nombre.–Fray Antonio de Aguilar.–(Rúbrica).

E después dé lo suso dicho, este dicho día, su Señoría Reverendísima hizo parescer ante sí á Tezcacoacatl, indio natural de Ocuila, del cual fué tomado é rescibido juramento segund forma de derecho, y él lo hizo é prometió de decir verdad, so cargo de él, por lengua del Padre Fray Antonio de Aguilar, se le preguntó é dixo lo siguiente:

Preguntado, cómo se llama: dixo, que Miguel y en indio Tezcacoacatl;

preguntado, si es xpiano, y qué tanto tiempo há; dixo, que sí es xpiano, babtizado y puede haber dos años que se babtizó y el guardián de Toluca le babtizó;

preguntado, que diga é declare si es verdad que era guarda de los ídolos del pueblo de Ocuila este confesante: dixo, que es verdad que puede haber tres años, poco más ó menos, que estando este confesante en Mechoacán, con Servando Bejarano, su amo, le llevaron á su casa el asentadero y el petate del demonio para que lo guardase; y cuando vino de Mechoacán, le dijo su mujer cómo Collin, carpintero, había llevado allí aquello para que este confesante los guardase; y después el mesmo Collín, le mostró la cueva donde estaban los ídolos y le dixo que este confesante los guardase y así los ha guardado después acá, hasta que los dió al padre;

preguntado, cuántas veces les ha ofrescido copal é otras cosas á los ídolos que así tenía á cargo este confesante, y qué otros sacrificios ha hecho de dos años á esta parte: dixo, que cada año, una vez, les hacía una fiesta este confesante á los ídolos que tenía é guarda, y les ofrescía copal é rosas, é pulque, é comida de tamales, y que todo esto hacía este confesante solo é que otro indio ninguno no fué allá ni les ofresció cosa ninguna después que este confesante los ha tenido á cargo;

preguntado, si es verdad que le halló el Padre en su casa á este confesante dos tinajas de pulque de la tierra y quién lo ofresció al demonio: dixo, que es verdad que tenía el dicho pulque, pero que no era de los demonios, sino que este confesante y su mujer lo cojen alrededor de su casa para beber ellos é no para otra cosa;

preguntado, quién ofreció las mantas que se le hallaron en su posada deste confesante á los demonios: dixo, que las mantas que tenía en su casa eran de este confesante é no del demonio y que no las ofrescía nadie;

preguntado, cuántas eran las mantas que el Padre le halló en su casa en la troxe, con las navajas é con el copal: dixo, que no eran más de cinco;

preguntado, dónde están agora las dichas mantas; dixo, que en su casa las tiene;

preguntado, qué otros ídolos tiene este confesante ó sabe quien los tenga: dixo, que no tiene otros ídolos más de los que dió al Padre ni sabe quién los tenga, y que esta es la verdad;

preguntado, si oyó predicar á los padres, que era gran pecado tener ídolos y ofrescerles copal ni otra cosa, y que todos los que tuviesen los descubriesen y destruyesen: dixo, que sí oyó muchas veces, y que este declarante los quería descubrir y aquél indio Collín que se los dió, le decía que no los descubriese, y sobre esto reñían muchas veces, y que esperaba cuando el Padre los comenzáse á descubrir para dárselos, y que así se los dió é mostró luego que el Padre se lo preguntó; y que esta es la verdad, é afirmóse en ello, é no firmó porque dixo que no sabía lo hacer, y el intérprete lo firmó de su nombre; é así mismo: dixo, que él, antes que el padre le preguntase, el Padre de los ídolos dixo á los mochachos de la iglesia cómo él sabía de aquéllos ídolos, y que cuando el Padre comenzase á entender en ello se lo diría é descubriría.–Fray Antonio de Aguilar.–(Rúbrica).

Fig. 4. Cuadro 14, *Relaciones… Tlaxcala*, tomo I. A la derecha Hernán Cortés se-
ñala a dos ejecutados en la hoguera; lo mismo hacen los dos frailes de la izquierda.
Arriba, ahorcados, cinco "muy principales" de Tlaxcala y una "señora de aquella
tierra". La leyenda de arriba dice (en náhuatl): "aquí colgaron a los señores"; la del
medio (también en náhuatl): "los quemaron"; la de abajo, en español, "justicia
grande que se hizo de los cinco caciques muy prin[cipa]les de Tlaxcala, y una
mujer, señora de aquella tierra, porque, de c[risti]anos, tornaron a idolatrar; y dos,
demás destos, fueron quemados por pertinaces, por man[da]do de Cortés [y] por
consentim[ient]o y beneplácito de los c[uatr]o señores, y, con esto, se arraigó la
doctrina cristiana". Los "cuatro señores" eran los gobernantes nativos de Tlaxcala,
aliados de los españoles.

Inquisición, "evangelización" y colonización[*]

Víctor Jiménez

Una de las cosas más grandes que han sido dichas –si toma-
mos en cuenta además la época en que fue dicha– es un juicio
que emitió Montaigne sobre la Inquisición: "A fin de cuentas,
significa que se concede un peso importante a las opiniones
personales cuando se quema vivo a un hombre en nombre de
ellas." Es el juicio más escéptico, el más íntegramente escéptico
que se haya pronunciado alguna vez: el catolicismo visto
como una opinión, como una opinión cualquiera.

Leonardo Sciascia[1]

Es común presentar de manera contrastante los efectos de la invasión española en América. Por un lado, se acepta (con las ex-
cepciones previsibles) que soldados, encomenderos, mineros,
comerciantes y burócratas españoles cometieron aquí uno de los
crímenes más devastadores de la historia. Bajo eufemismos como
"pacificación", "congregaciones", "repartimiento" y "encomienda"
se oculta lo que un autor como Georg Friederici ha preferido llamar "política del terror" en un capítulo de su obra así designado:

---

[*] Versión abreviada del Capítulo IV ("Es decir, la Inquisición") del libro de Víctor
Jiménez y Rogelio González, *Inquisición y arquitectura: la "evangelización" y el ex obispado de Oaxaca*, Editorial RM, México, 2009; en adelante, *Inquisición y arquitectura*.
Datos completos de la bibliografía directamente relacionada con la presente versión,
en las notas siguientes. Para mayores referencias consultar el libro citado.

[1] Leonardo Sciascia (conversaciones con Marcelle Padovani), *Sicilia como
metáfora*, trad. de Isabel Vericat, Fondo de Cultura Económica, México, 1991, pp.
32-33 (existe un error en la traducción, que hemos corregido: en lugar del nombre
de Montaigne la traductora escribió el de Montesquieu).

111

...la política de los españoles fue desde el primer día, comenzando por Colón, infundir a los indios un pánico tal, que con sólo escuchar la palabra "cristiano" "las carnes se les estremeciesen", como dice Las Casas... [los españoles] aseguraban siempre obrar "para el servicio de Dios y de Sus Altezas". Con estas palabras en los labios, daban tormento a los jefes locales aprehendidos del modo más audaz o más ignominioso, para obligarlos a entregar el oro e influir sobre sus pueblos por el terror; y en general, el tormento, preferentemente por el fuego, era uno de los instrumentos empleados en la técnica de la Conquista.[2]

O también podemos hablar, como Urs Bitterli, de "régimen de terror",[3] entendiendo por ello asesinatos y deportaciones en masa, robo, saqueo, esclavitud y aniquilación cultural. Esto se encuentra bien documentado. Pero por otro lado, como contrapartida, se presenta la actividad de los religiosos como opuesta y mitigadora de los "excesos" (que son una política de todos los días) del resto de los españoles. Sería cierto sólo en parte. De hecho lo que consiguieron Las Casas y sus seguidores fue más bien registrar para la historia un crimen, pero no impedirlo, como fue visto por Bitterli: "...la crítica a tan brutal política expansionista, tal cual la expusiera, sobre todo, Las Casas, llegó tardíamente y representó un polémico ajuste de cuentas con las atrocidades de un régimen de terror que, sólidamente instalado, nada tenía ya que temer de semejante crítica".[4]

Existe igualmente la aparente paradoja de que la actividad de los religiosos es complementaria de la del resto del aparato de explotación español (siguiendo nuevamente a Bitterli):

> Las leyes de Burgos... que representaban la ponderada respuesta de los juristas de la Corona a las quejas de los dominicos, se aferraron

---

[2] Georg Friedirici, "La política del terror", *El carácter del descubrimiento y de la conquista de América*, trad. de Wenceslao Roces, Fondo de Cultura Económica, México, 1973, p. 459; en adelante, *El carácter*.

[3] Urs Bitterli, *Los "salvajes" y los "civilizados": el encuentro de Europa y Ultramar*, trad. de Pablo Sorozábal, Fondo de Cultura Económica, México, 1982, p. 26; en adelante, *Los "salvajes"*.

[4] *Los "salvajes"*, p. 26.

también, significativamente, al principio de la política autoritaria respecto de los indígenas [...]. Resulta curioso que los colonizadores españoles justificaran, por ejemplo, el servirse de la mano de obra india, y que dicha justificación fuese estrechamente vinculada al compromiso de cristianizar a los paganos adquiridos por la Corona: según las antes mencionadas leyes, la santa fe católica constituye el fundamento principal del derecho de la metrópoli a conquistar esas partes del mundo. Así pues, lejos de poner en tela de juicio la expansión colonial, la obra misionera se reveló unida a más no poder con el proceso político-militar del Estado absolutista... Las leyes de Burgos, cuyas disposiciones relativas a la protección de los indígenas nunca, por lo demás, pudieron ser objeto de una supervisión eficaz... no hicieron sino permitir que aquellos misioneros que se mostraban amistosos hacia los indios, vieran la autoridad de la metrópoli en el sentido de una tutela...; el derecho fundamental a la dominación por parte de la potencia colonial no quedaba modificado en absoluto. No puede, por tanto, producir asombro que Las Casas, en su admirable intervención en favor de los indios, acabara por no atreverse a hablar en nombre de éstos, sino que trajera a colación el punto de vista de la razón de Estado, al escribir que si se mantuviera a los indios en comunidades coloniales ampliamente independientes, dedicadas al cultivo bajo un régimen de respeto y benevolencia en el trato, los ingresos de la casa real se verían incrementados.[5]

El lector que conozca la literatura que aborda la cuestión de la "salvación de las almas" de los americanos coincidirá en que, por lo general, ésta se puede resumir en dos ideas (expuestas o no de manera explícita) de carácter simétrico: por una parte, la superioridad cultural, religiosa y moral de los españoles; por otra, la inferioridad de la cultura, religión (que no se llama tal, sino *idolatría*) y moral de, digamos, los mexicanos, mayas o zapotecos... Los americanos eran humanos, tal vez, pero su cultura y religión propias los reducían a la condición de *bestias, siervos del demonio y del vicio, estúpidos, perdidos, perversos*: su existencia, en suma,

[5] *Los "salvajes"*, p. 206.

sin la benéfica influencia española, era sólo un inconmensurable error. Así, los religiosos colaboran entusiastamente en una verdadera labor de devastación cultural –cuyas consecuencias están todavía hoy muy vivas– que incluye, y esto es importante, de manera nada marginal el recurso al terror en su modalidad pedagógica. No el exterminio físico de comunidades enteras (se requería de su trabajo servil o esclavo), sino el *ejemplar*. Los soldados españoles habían introducido la técnica que Friederici describe como "el apresamiento del jefe indígena, en medio de su pueblo y para escarmiento de éste", y agrega: "... este modo de proceder llegó a extenderse tanto y a encontrar tan general reconocimiento, que la Corona dictó una ley en que se instituía un premio para adjudicarlo a quien apresara al alto jefe de una tribu [Doc. Inéd. Arch. Indias, t. xxii, 1874, pp. 542-543]".[6]

El caso de Moctezuma en Tenochtitlan, humillado y aprehendido por Cortés, es emblemático. Bernal Díaz del Castillo informa sobre este episodio:[7] para la aprehensión de Moctezuma hizo uso Cortés, previamente, del terror. Varios capitanes de Moctezuma eliminaron a algunos invasores; al recibir esta noticia Cortés decidió aprisionar a Moctezuma. Primero le reclamó la muerte de los españoles, con amenazas de todo tipo, logrando confinarlo... Moctezuma, atemorizado, envió por sus capitanes (Quetzalpopoca, Coate, Quiavit y otro, cuyo nombre no recordó Díaz), tomados presos por orden suya y remitidos a Cortés. Éste amedrentó una vez más a Moctezuma,

> Y sin más gastar razones... sentenció a aquellos capitanes a muerte y que fuesen quemados delante de los palacios de Montezuma, y así se ejecutó luego la sentencia. Y porque no hubiese algún embarazo entretanto que se quemaban, mandó echar unos grillos al mismo Montezuma. Y desde que se los echaron, él hacía bramuras, y si de antes estaba temeroso, entonces estuvo mucho más".[8]

[6] *El carácter*, pp. 457-458.
[7] Bernal Díaz del Castillo, *Historia verdadera de la conquista de la Nueva España*, Porrúa, México, 1977, tomo i, pp. 289-297; en adelante, *Historia verdadera*, tomo i.
[8] *Historia verdadera*, tomo i, pp. 295-296.

Existen otros casos donde Cortés es también el principal protagonista tras la hoguera, ya en el terreno de lo religioso, y precisamente como inquisidor: los autos de fe de Tlaxcala y de Quecholac, ordenados por él. Que Cortés no era ajeno al papel de inquisidor ya lo dice el autor de la "Nota introductoria" a la edición facsimilar de 1980 del *Proceso Inquisitorial del cacique de Tetzcoco*. La frontera entre la monarquía española, a la que servía Cortés, y la Inquisición como instrumento de la religión católica, era inexistente:

> ... en España y sus colonias el Santo Tribunal de la Inquisición no fue puramente un tribunal eclesiástico sino que, como opina el maestro O'Gorman, a quien seguimos en esta reseña histórica, fue "en el sentido más estricto de la palabra, órgano judicial de gobierno y de la administración empleado por la monarquía española". Esto sobre todo se manifestó con claridad durante la lucha que por su independencia entablaron las colonias contra la Metrópoli.
>
> El tribunal de la Santa Inquisición quedó formalmente constituido en la Nueva España sólo hasta el año 1571, cuando ya llevaba casi un siglo de funcionar en la Península... No obstante, su presencia se hizo notar en México apenas llegados los españoles. Los principios de su actividad en nuestra patria no son muy claros ni ortodoxos, pero las ordenanzas de Cortés (1520) contra los blasfemos, las acciones de los primeros frailes contra los herejes y el proceso de Caltzontzin, señor de los tarascos, en 1530, caen sin duda dentro de dicha actividad inquisitorial.[9]

Cortés ordenó más de una ejecución inquisitorial en Tlaxcala en la década de 1520 (serían contemporáneas de la similar de Quecholac)[10], sobresaliendo una que tuvo a ocho nativos tlaxcaltecas como víctimas: seis ahorcados y dos quemados vivos. Contó con la anuencia de los religiosos y la información fue recogida en dos

---

[9] Sin firma (posiblemente Mario Colín), "Nota Introductoria" en la edición facsimilar, Biblioteca Enciclopédica del Estado de México, México, 1980, de la edición de Luis González Obregón del *Proceso inquisitorial del cacique de Tetzcoco*, Eusebio Gómez de la Puente, editor, México, 1910, pp. XIV; en adelante, *Proceso*.

notas complementarias, la primera como parte de un largo texto y la segunda escrita sobre un dibujo[11] que representa este auto de fe, con Cortés y dos frailes flanqueando la brutal escena. Los testimonios sobre este episodio y otros dibujos similares en Tlaxcala, con Cortés o un fraile como inquisidores,[12] así como la descripción de la pintura mural de Quecholac, indican que bajo ciertas circunstancias, como la imposibilidad de renunciar a las ventajas de la política del terror, la Iglesia y el gobierno español no aplicaban la censura o el disimulo sobre las acciones de la Inquisición contra los nativos mexicanos. Su mera existencia indica que estas imágenes habían sido concebidas como una perpetuación de los autos de fe que les dieron origen.

Los religiosos no tardaron en pasar a las formas más institucionales del procedimiento inquisitorial, con los titubeos y ajustes necesarios para salvar las apariencias. Un caso paradigmático (pero por ningún motivo único o excepcional) es el del gobernante de Texcoco, Chichimecatecuhtli, conocido también como Ometochtzin y por el nombre que le impusieron los españoles (Carlos), nieto de Netzahualcóyotl e hijo del también rey de Texcoco Netzahualpilli. Chichimecatecuhtli era la víctima ideal para aplicar el castigo ejemplar que preconizaba la política española: fue quemado vivo (aunque Toribio Medina, al desconocer los documentos que citaremos, supuso que habría sido estrangulado con el garrote vil y luego quemado, pero ha quedado claro, como admite Richard Greenleaf, que se le sentenció a "la quema en la hoguera"[13] en 1539 por Juan Zumárraga, entonces obispo de México, después de escenificar el consabido auto de fe en la plaza principal –el actual Zócalo– de la ciudad de México, con asistencia obligatoria, bajo pena

[10] Apéndice 7, *Inquisición y arquitectura*, pp. 257-264.

[11] Diego Muñoz Camargo, *Relaciones Geográficas del siglo XVI: Tlaxcala*, edición de René Acuña, Instituto de Investigaciones Antropológicas, Universidad Nacional Autónoma de México, México, 1984, tomo I, cuadro 14; en adelante, *Relaciones... Tlaxcala*, tomo I.

[12] *Relaciones... Tlaxcala*, tomo I, cuadros 11, 12 y 13.

[13] Richard Greenleaf, *Zumárraga y la Inquisición mexicana*, trad. de Víctor Villela, Fondo de Cultura Económica, México, 1988, p. 92; en adelante, *Zumárraga*.

de excomunión (y esto en la Colonia no sólo tenía implicaciones metafísicas), de todos los habitantes de la capital. Los propios religiosos españoles, y no sólo estudiosos como Greenleaf, dijeron que Chichimecatecuhtli fue quemado en la hoguera, como aquí se verá. El caso de Ometochtzin es particularmente interesante porque entre los *delitos* que cometió se encontraba no haber demostrado respeto por la religión de los españoles, sosteniendo el derecho de los mexicanos a conservar la propia, así como negar el derecho de los invasores para gobernarlos. En el interrogatorio a que fue sometido se le preguntó si, después de un suspiro que debió ser casi un grito, pues varios testigos lo mencionan, había exhortado a algunos parientes suyos a desconocer el gobierno colonial:

> … si sospirando dixo este confesante en cierta parte: "quién son estos que nos deshacen, é perturban, e viven sobre nosotros, e los thenemos á cuestas y nos sojuzgan? pues aquí estoy yo, y allí está el señor de México Yoanizi, y allí está mi sobrino Tetzcapili, señor de Tacuba, y allí está Tlacahuepantli, señor de Tula, que todos somos iguales y conformes y no se ha de igoalar nadie con nosotros; que esta es nuestra tierra y nuestra hacienda y nuestra alhaja y nuestra posesión, y el señorío es nuestro y á nos pertenece; y quién viene aquí á mandarnos y á sojuzgarnos, que no son nuestros parientes ni de nuestra sangre y se nos igoalan, pues aquí estamos y no ha de haber quien haga burla de nosotros".[14]

Luis González Obregón decidió publicar el proceso contra Chichimecatecuhtli en 1910 por considerar al texcocano como precursor (el primero) de la Independencia nacional. Sería el suyo un caso similar al de Morelos, víctima de otro inquisidor que también llegó a arzobispo de México, Antonio Bergosa, lo que refuerza el perfil de la Inquisición como aparato de represión política del principio al fin del régimen colonial. Y como es costumbre, la sentencia *oficial* de la Inquisición es elusiva en éste como en otros

---

[14] *Proceso*, pp. 59-60.

documentos públicos sobre la responsabilidad de la Iglesia en tales ejecuciones, ya que se declaraba que era la justicia civil la que recibía las víctimas, dictaba la sentencia final y llevaba a cabo la ejecución, en una separación de responsabilidades concebida para salvar las apariencias a favor de la Iglesia. Ya Vicente Riva Palacio se refirió al gusto por estas formalidades y pudo identificar al menos uno de los aspectos de la estrategia de ocultación de esa parte más conocida de la Inquisición:

> Si se estudia y juzga la institución del Santo Oficio por sus reglamentos, sus instrucciones y formularios, seguramente poco habrá de tachársele, pues a excepción del riguroso secreto que exigía en todos sus trabajos, apenas podrá encontrarse en su manera de sustanciar los procesos algo que difiera de lo que, por el derecho común, los jueces ordinarios practicaban en aquella época. Lo que más horroriza de la Inquisición es sin duda la cuestión del tormento y la hoguera; pero en primer lugar el Santo Oficio cuidó bien de que sus sentencias jamás declararan, sino que el reo como relajado sería entregado al brazo secular, y no que debía morir y menos la clase de muerte que debía aplicársele; es verdad que *relajar* a un reo era tanto como dictar contra él la sentencia de muerte y entregarle al poder temporal para que la ejecutara; pero la Inquisición quiso siempre salvar la forma, y los jueces civiles sentenciaban la muerte conforme al derecho común, y así la ejecutaban.[15]

No son pocos los que se remiten a tales argucias para no ver lo que todos sabían en la época, incluyendo a la Inquisición y la monarquía mismas cuando se expresaban en privado, como también veremos. El pregón ordenado por Zumárraga anunciaba que "… mañana domingo [30 de noviembre de 1539] había de

---

[15] Vicente Riva Palacio, *La Inquisición*, Apéndice tomado de *México a través de los siglos*, Establecimiento Tipo-Litográfico-Editorial Espasa y Compañía, Barcelona, 1884-1889, tomo II, capítulo XXXVIII, en José Toribio Medina, *Historia del Tribunal del Santo Oficio de la Inquisición en México*, Coordinación de Humanidades, Universidad Nacional Autónoma de México, Miguel Ángel Porrúa, México, 1987, p. [20]; en adelante, *Historia del Tribunal*.

haber abto [d]el Santo Oficio, é sermón, é que todos fuesen á lo oír é veer, so pena de excomunión, lo cual se pregonó por muchas partes en esta cibdad".[16]

El día señalado, representando el deshonroso papel que compartieron tantos musulmanes, judíos, protestantes, pensadores o sospechosos de cualquier desobediencia religiosa o política,

> ... fue sacado el dicho Don Carlos de la cárcel de este Santo Oficio, con un Sant Benito puesto, é una coroza en la cabeza, y con una candela en las manos, y con una cruz delante fué llevado al cadalso, que para ello estaba puesto en la Plaza pública desta dicha cibdad, donde estaba mucho número de gente ayuntada, así de españoles como de naturales desta tierra...[17]

Casi un año después, el 22 de noviembre de 1540 y desde Madrid, Francisco de Nava, obispo y miembro del Consejo de Indias, escribía dos cartas a Zumárraga –dadas a conocer por Alberto María Carreño– que conviene citar parcialmente. En la primera presentaba así los antecedentes del caso de Chichimecatecuhtli:

> ... se entendió en este Consejo que hacía [Zumárraga] ciertos procesos contra algunos indios caciques... con pensamiento que algunos dellos fuesen quemados por poner temor y escarmiento, y que les sean confiscados sus bienes, por la experiencia que tenía de que ninguna pena corporal ni deshonra los escarmienta tanto como perder la poca hacienda que tienen, y aunque aquí se tiene por cierto que la intención de V. S. es muy buena y enderezada al servicio de nuestro Señor ...[18]

En la valoración que establece Nava no parece que Zumárraga cometiese un gran abuso quemando a sus víctimas –eso sería

[16] *Proceso*, p. 83.

[17] *Proceso*, p. 83.

[18] Alberto María Carreño, *Don fray Juan de Zumárraga, primer obispo y arzobispo de México, documentos inéditos publicados con una introducción y notas por Alberto María Carreño, con la reproducción en facsímile de los documentos*, José Porrúa e hijos, México, 1941, p. 13.

incluso el resultado de una "intención muy buena" del Inquisidor Apostólico–, y acepta el argumento de que los mexicanos temiesen más ser despojados de su "poca hacienda" (los escasos bienes que no les habían arrebatado los españoles) que los suplicios y la muerte; pero, y aquí está el motivo de las cartas, la confiscación causa a la Iglesia y a la monarquía un problema de imagen, al exhibirlas como impulsadas por la codicia. Se extiende más en la segunda carta sobre tal punto, no sin reflexionar sobre la irreversibilidad de la muerte de Chichimecatecuhtli, en la que no habría encontrado ninguna responsabilidad que perseguir:

> … habemos entendido que en esa ciudad se relajó un indio que se decía Don Carlos, y fue quemado por la Inquisición y sus bienes se confiscaron… Conviene, Señor, que pues la vida no se le puede remediar, que no se disponga de los bienes… porque dicen que se ha recebido mucho escándalo por los indios, los cuales piensan que por cobdicia de los bienes los queman…[19]

Nava hace una interpretación correcta de lo ocurrido: Chichimecatecuhtli fue "quemado por la Inquisición"; es decir, murió en la hoguera por decisión de la Iglesia. No menciona la colaboración del gobierno civil porque se trata de una comunicación interna entre dos religiosos. Hay otros documentos, tanto privados como públicos, igualmente explícitos sobre decisiones que algunos historiadores militantes del conservadurismo insisten en mantener en el terreno de la separación formal de atribuciones. Pero los aterrorizados testigos de las procesiones humillantes, los autos de fe y

---

[19] *Un desconocido cedulario del siglo XVI perteneciente a la catedral metropolitana de México, prólogo y notas de Alberto María Carreño*, Ediciones Victoria. México, 1944, p. 160. Quizá sea la misma carta que Joaquín García Icazbalceta citaba en su *Don Fray Juan de Zumárraga*, de 1881: "Otra carta del mismo señor Inquisidor General reprendiendo al ilustrísimo señor Zumárraga por haber hecho proceso contra un indio cacique por idólatra y haberlo sentenciado a muerte y quemádolo". Nava no ostentaba ese cargo, y García Icazbalceta pudo confundirse en este punto. De ser así, su descubrimiento de este documento, aunque inadvertido, precedería al de Carreño.

las hogueras sabían que se trataba de lo mismo que resume Nava. Y quizá ya no preocupa tanto a los historiógrafos conservadores admitir hoy que la codicia o la venganza eran móviles reales de la Inquisición, bajo el supuesto de que serían exculpatorios de la Iglesia como meras debilidades humanas, disminuyendo el peso de los abusos de la institución católica misma. Así lo proponía Robert Ricard[20] en el caso que nos ocupa, porque hoy son más censurables que aquellas los testimonios de intolerancia homicida o etnocidio que la Inquisición española ejemplifica como ninguna otra institución, lo que después de Montaigne no admite excusas, incluyendo las socorridas "razones de época". Luis González Obregón ya se refería a este rechazo de la realidad histórica por Joaquín García Icazbalceta, quien no aceptaba que se identificase a Zumárraga como Inquisidor Apostólico.[21] Puesto que estamos frente al genocidio americano los intentos de negar cualquier responsabilidad de la Inquisición española en el mismo no son sino previsibles, aunque nunca podrían compartirse sin violentar la inteligencia que se debe poner al analizar los numerosos documentos que hablan de esa responsabilidad. Algunas veces por vanidad, otras por disputas intergremiales, los inquisidores no podían evitar exhibir su celo de manera tan explícita que sólo un cínico puede negar las evidencias. Relatos de las hazañas de los frailes que aterrorizaban a los mexicanos con espectaculares autos de fe, manuales de inquisidores que recomiendan no excluir a los nativos de las prácticas de la Inquisición, denuncias por invadir las áreas de competencia del llamado Santo Oficio, correspondencia privada: todo esto ha llegado a nosotros. Para mayor infortunio de quienes no descansan limpiando la imagen de la Inquisición ésta no siempre tenía interés en negar la responsabilidad de la Iglesia en la política del terror, como ya hemos apuntado, sino lo contrario. Así, hacia 1540, en un documento publicado igualmente por González Obregón,[22] aparece un fraile, Antonio Aguilar, que no rechazaba la mención de la

[20] Como lo destaca Greenleaf en *Zumárraga*, p. 92, nota 9.

[21] "Preliminar", en *Proceso*, p. VIII.

[22] Apéndice: Fragmento de un proceso contra los indios de Ocuila, en *Proceso*, pp. 85-89.

ejecución de Chichimecatecuhtli a manos de Zumárraga al amenazar a otros mexicanos por mantener los ritos de su religión:

> … é los hizo traer al monesterio de Ocuila y allí predicó é amonestó
> á los indios de parte del Señor Obispo, que todos los que tuviesen
> ídolos ó cosas de sacrificio, los diesen e descubriesen, porque eran
> vanos dioses é no tenían virtud ninguna, é que supiesen, que si no
> se los daban é su Señoría los descubriese é supiese de ellos por otra
> parte, que los castigaría, y que se acordasen de Don Carlos y de otros
> que su Señoría había castigado por ello…[23]

El religioso español, después de amenazar a los mexicanos con la
hoguera, consiguió que le entregaran las imágenes religiosas no católicas –sin olvidar azotarlos– para llevarse parte de lo confiscado y

> … darlo á su Señoría, para que su Señoría hiciese en ello justicia
> como Inquisidor Apostólico; é que cuando les predicó é amonestó
> que descubriesen los ídolos y quemó los que había hallado, para po-
> ner temor en los otros, azotaron a Tezcacoacatl y a Collin, que no
> era xpiano [cristiano], porque habían tenido aquellos ídolos…[24]

Era esencial mantener vivo el recuerdo del terror inquisitorial, aunque se aludiese al mismo de manera indirecta. González
Obregón cita igualmente al criollo español Juan Suárez de Peralta
cuando también se refiere, hacia 1589, a la ejecución de Chichimecatecuhtli. La noticia se redacta en el lenguaje oficial, aun cuando
descuida ocultar que fue Zumárraga quien ordenó quemar al texcocano:

> Preso el cacique y hechas las informaciones, el arzobispo don Juan
> de Zumárraga le mandó quemar, y le llevaron con una gran coroza
> y le entregaron a la justicia seglar, y ella ejecutó la sentencia. Esto se
> supo en España, y no pareció bien por ser recién convertidos; y así

[23] *Proceso*, pp. 86-87
[24] *Proceso*, pp. 87.

se mandó que contra los indios no procediese el Santo Oficio, sino que el ordinario los castigase.[25]

La última afirmación de Suárez de Peralta ha llevado a algunos, como al propio González Obregón, a pensar que Chichimecatecuhtli fue "a modo de redentor de su raza, pues en lo sucesivo ya los indígenas no cayeron bajo la tremenda jurisdicción del Santo Oficio",[26] recordando que la prohibición quedó incluida en la Ley 35, título 1º, libro VI, de la *Recopilación de Indias*. Sin embargo, tal suposición carece por completo de fundamento. La Inquisición contra los nativos mexicanos simplemente cambió de designación: el "ordinario" de Suárez de Peralta no es otro que el obispo como juez eclesiástico ordinario, con plenos poderes para fungir como inquisidor cuando se trataba de castigar a los nativos: es el "inquisidor ordinario", no "apostólico". Más aún, los frailes también seguirían actuando como inquisidores contra los nativos cuando la geografía u otras consideraciones así lo exigiesen. Y aunque no debían, estos inquisidores –obispos y frailes–, no adscritos oficialmente al Santo Oficio cuando de perseguir mexicanos se trataba, siguieron utilizando el nombre de éste. Así se evidencia en la terminología empleada en un expediente citado por Greenleaf, relativo a una consulta en el ámbito del arzobispado de México y en un año tan avanzado como 1766:

Expediente formado con motivo de haber el Dr. Mariano Iturría, cura vicario y Juez Eclesiástico de Tlalnepantla la Cuauhtenca puéstose en una consulta que hizo a este Tribunal Revisor y Expurgador, y Juez Comisario del Santo Oficio de la Inquisición ordinaria de los Indios y Chinos de este Arzobispado, 1766.[27]

[25] Juan Suárez de Peralta, *Tratado del descubrimiento de las Indias (Noticias históricas de la Nueva España)*, Dirección de Publicaciones del Consejo Nacional para la Cultura y las Artes, México, 1990, p. 13.

[26] *Proceso*, p. XIII.

[27] Archivo General de la Nación, *Inquisición*, tomo 1037, expdte. 6, en Richard Greenleaf, "Apéndice: La Inquisición y los indios de Nueva España (1522-1821), relación de fuentes manuscritas, documentos seleccionados", p. 186; en

Hubo quejas del Santo Oficio oficial contra el uso de su nombre por quienes, desde el arzobispado, los obispados y las órdenes religiosas, recurrían a su nombre, y a veces se veían enredadas las autoridades civiles. Además, aunque tampoco debía, el Santo Oficio mismo continuó persiguiendo nativos. Hubo pleitos entre todas estas facciones inquisitoriales por el "derecho" de perseguir, torturar y ejecutar a los nativos mexicanos, y no era la excepción que excedieran sus límites jurisdiccionales, de lo que también constan ejemplos. La necesidad de un deslinde como el efectuado por la burocracia española con Zumárraga obedece únicamente a razones de imagen. Tal vez hubo algún escrúpulo, sin duda secundario por la magnitud de los intereses en juego, frente a la palmaria contradicción que surgía de las entrañas de una institución que se proclamaba heredera de las enseñazas del Evangelio, la Iglesia católica, y su papel en el establecimiento y continuidad de los horrores de la Inquisición en nuestro país, a los que se santificaba bajo el nombre de "evangelización". La repulsa interna, de haber existido, no debió ser muy grande si recordamos que la Iglesia no abandonó voluntariamente estas prácticas. A las quejas de los religiosos contra los abusos de los encomenderos, comerciantes y mineros españoles no se suma nunca la dirigida a los inquisidores, que son sólo ellos mismos. Fueron las sociedades modernas las que obligaron a la desaparición de la Inquisición. Los inquisidores que sucedieron a Zumárraga, diversos y numerosos, sólo se diferenciaban de éste en que no utilizaron el título de Inquisidor Apostólico, y basta recordar el edicto de Antonio Bergosa[28] anunciando que aun con la supresión de la Inquisición las facultades represivas de los obispos se mantenían intactas, para comprobar que los inquisidores nunca se confundieron sobre el fondo de la cuestión.

La memoria de Chichimecatecuhtli quemado en la hoguera sobrevivió durante la Colonia, posiblemente por tradición oral y

---

adelante "Apéndice", en *Inquisición y sociedad en el México colonial*, sin mención del traductor, José Porrúa Turanzas, Madrid, 1985; en adelante, *Inquisición y sociedad*. ["Chinos" se refería, en la terminología española (un racismo con puntuales obsesiones terminológicas), a cierto tipo de mulatos.]

a través de documentos como los elaborados por los cronistas que los transmitieron a Domingo Chimalpáhin. Cuando éste redacta –entre 1607 y 1637– sus *Ocho relaciones*, esa larga genealogía de los gobernantes del centro de México antes y después de la invasión española, no podía eludir a Chichimecatecuhtli. Su información es correcta en lo esencial, excepción hecha del lugar donde se levantó la hoguera, que él ubica en Texcoco y no en la ciudad de México. Conocedor de la terminología oficial (Chimalpáhin era funcionario de la Iglesia), el cronista no menciona ya a la Inquisición como autora de la decisión de quemar al gobernante de Texcoco, sino a Zumárraga, que en su papel de obispo habría hecho lo que se consideraba normal en el siglo XVII:

> En este mismo año quemaron a don Carlos [Ometochtzin Chichimecateuctli], tlatohuani de Tetzcoco Acolhuacan e hijo de Nezahualpilli Acamapichtli, que gobernó durante ocho años; esto se hizo por órdenes de don fray Juan de Zumárraga, primer obispo de México, que fungió como fiscal cuando en Tetzcoco fue quemado don Carlos [Ometochtzin Chichimecateuctli]. Entonces se acusó a éste de idolatría, pues se le comprobó que no había dejado de adorar los ídolos de los diablos a los que en tiempos pasados adoraban los antiguos, y decían que los tenía reunidos alrededor de su huerta.[29]

Chimalpáhin menciona sólo uno de los cargos contra Chichimecatecuhtli, pero omite los dos más importantes: que había exhortado a otros gobernantes mexicanos a desconocer el régimen español, así como a recuperar la propia religión al abandonar la extranjera.

Además de ocuparse del caso anterior, Richard E. Greenleaf (quien tanto avanzó en el conocimiento de la actividad de la Inquisición contra los americanos, aunque se siente inclinado a excul-

[28] "Edicto de Antonio Bergosa del 10 de junio de 1813", en *Inquisición y arquitectura*, pp. 211-213.

[29] Domingo Chimalpáhin, *Las ocho relaciones y el memorial de Colhuacan*, Paleografía y trad. de Rafael Tena, Dirección General de Publicaciones del Consejo Nacional para la Cultura y las Artes, México, 1998, vol. II, p. 199; Tena escribe Chichimecateuctli, siguiendo el texto náhuatl de Chimalpáhin.

par al régimen colonial a cada momento) documentó muchos más que involucran a sacerdotes no católicos y líderes políticos nativos sometidos a procesos inquisitoriales y condenados a los azotes, los trabajos forzados, la prisión perpetua, la confiscación de sus bienes, el destierro, el pago de multas, las procesiones vejatorias, a ser trasquilados y, de manera emblemática, a la tortura, el garrote vil, la mutilación, el descuartizamiento y la hoguera.[30] Greenleaf adopta en general el punto de vista hispano-católico (para el cual los mexicanos son "indios") y se refiere a Ometochtzin Chichimecatecuhtli con el nombre que le fue impuesto por los religiosos españoles, o designa como "ídolos" los objetos sagrados de los mexicanos, mas no los españoles. No es por ello extraño que califique positivamente la legalidad de los actos de la Inquisición española en México (a la que no llama así –ni colonial, tampoco "virreinal" y sólo ocasionalmente "novohispana"–, sino "mexicana", como si las víctimas debieran dar nombre a los horrores que padecieron), siempre que cumpliese con ciertas formalidades, por lo que le tranquiliza constatar que en el caso de Chichimecatecuhtli se cumplió con la legalidad española: "El erudito objetivo tiene que vindicar a Zumárraga de cualquier culpabilidad en el caso de don Carlos [Chichimecatecuhtli]. El proceso se llevó a cabo sin irregularidades legales..."[31]

Los casos de líderes políticos y religiosos ejecutados por los religiosos son muy numerosos, como se ha dicho, pero es más im-

---

[30] Richard Greenleaf, *Zumárraga*, así como *La Inquisición en Nueva España, siglo XVI*, trad. de Carlos Valdés, Fondo de Cultura Económica, México, 1981; en adelante *La Inquisición en*, e igualmente las secciones "Introducción", pp. 1-12; en adelante "Introducción", "La Inquisición y los indios de Nueva España: un estudio de la confusión jurisdiccional", pp. 121-153; en adelante "La Inquisición y los indios", y por último "Apéndice", pp. 183-187, en *Inquisición y sociedad*. Hay otros autores en *Inquisición y arquitectura*, con casos expuestos a detalle. Un excelente análisis jurídico de la injusticia de los procedimientos inquisitoriales puede encontrarse en Eduardo Pallares, *El procedimiento inquisitorial*, Imprenta Universitaria, México, 1951, cuyo Prólogo se reproduce en el Apéndice 8 de *Inquisición y arquitectura*, pp. 265-268.

[31] *Zumárraga*, p. 93.

portante no perder de vista –ya lo señalaba Friederici– la intención de los españoles, religiosos o no, casi siempre plenamente explícita, de hacer escarmiento a muchos mediante el castigo de unos pocos, bien seleccionados y con la presentación adecuada. Ya en el terreno puramente religioso, una ordenanza real de 1530 dirigida a los gobernadores y regidores españoles en México les recordaba que: "... quando hallardes, que algunos Yndios adoraren ydolos, y les hizieren sacrificios... que los aparteys dello, y los amonesteys, y si amonestados dos vezes no se apartaren dello, que castigueys algunos dellos, para que los demás tomen exemplo..."[32]

El Concilio de Trento se preocupó también del problema. Al aplicar el castigo –con "misericordia"– debía procurarse que "... se enmienden los que fueren corregidos; o si no quisieren volver sobre sí, escarmienten los demás para no caer en los vicios, con el saludable ejemplo del ajeno castigo..."[33]

Pedro Sánchez Aguilar, un religioso activo en Yucatán en los primeros años del siglo XVII, quien argumentó extensamente sobre la necesidad de que los obispos tuvieran poderes inquisitoriales sobre los nativos (terminó su carrera, luego de ejercer en Bolivia, como inquisidor en Lima), se encontraba preocupado por...

... que aviendo cessado el castigo por tantos años creció la idolatría: y si algún castigo huvo, fue muy leve. Reinciden todos, y los más idólatras, como reincidió Cocom, que fue ahorcado en Campeche, y Alonso Chable, que oy está preso por gran docmatizador heresiarca con su compañero y consorte Francisco Canal...[34]

[32] Vasco de Puga, *Cedulario* (*Provisiones, cédulas, instrucciones de su Magestad, ordenanças de difuntos y audiencia, para la buena expedición de los negocios, y administración de justicia, y governación desta Nueva España, y para el buen tratamiento y conservación de los yndios...*), México, 1563, folio 56, recto; en adelante, *Cedulario*.

[33] Citado por Pedro Sánchez Aguilar, "Informe contra los adoradores de ídolos del obispado de Yucatán", en *Tratado de las idolatrías, supersticiones, dioses, ritos, hechicerías y otras costumbres gentílicas de las razas aborígenes de México*, tomo II, Ediciones Fuente Cultural, México, 1953, p. 307; en adelante, "Informe contra", y *Tratado de las idolatrías*, tomo I / II.

[34] "Informe contra", p. 316.

Así que argumenta poco después:

> Y ocularmente he visto, que hazen platillo y trisca estos idólatras del
> poco castigo que se les hizo, conque animan e incitan a otros; y assi
> conviene sean castigados conforme a derecho, y leyes destos Reinos;
> y que el castigo sea en esta ciudad de Mérida, donde concurren cada
> Miércoles al pie de mil Indios de diferentes pueblos al servicio case-
> ro de los Encomenderos, y vezinos, que llaman tanda; porque estos
> llevarán a sus pueblos las nuevas, y convendría juntar los Caciques, y
> Governadores Indios de la comarca desta ciudad para ver este castigo;
> porque en ellos está la enmienda deste delito, y con semejantes actos
> como los del Santo Oficio quedarán atemorizados y enmendados.[35]

Jacinto de la Serna, un religioso profesional relativamente
moderado, recomienda a los obispos, en 1656, al ocuparse de los
mexicanos reacios a adoptar la religión española, "...que àn de ser
éstos castigados, para que con el castigo de vnos escarmienten
otros: *Pestilente flagelato, estultus* [sic] *sapientior erit* [Proverbios,
19-25; que se puede traducir como: Azota al apestado, y se hará
razonable el necio]."[36]

Este criterio seguirá en vigor en México durante todo el período colonial: no es otro el móvil del auto de fe de José María
Morelos, presidido por el ya mencionado Antonio Bergosa. Abun-
dan los ejemplos, por lo que es preciso reducirse sólo a algunos de
los recogidos por Agustín Dávila Padilla: "En uno destos puestos
[Caxones] mandó el frayle [Pedro Guerrero] una dozena de azotes
y sin rigor a un Indio, porque descubriesse unos ydolos..."[37] Pero la
víctima murió: la versión transmitida por Dávila es que el perverso
indio sólo fingía estar muerto, dando con ello motivo a la difama-

---

[35] "Informe contra", p. 316.
[36] Jacinto de la Serna, "Manual de ministros de indios, para el conocimiento de
sus idolatrías, y extirpación de ellas", en *Tratado de las idolatrías*, tomo I, p. 352.
[37] Agustín Dávila Padilla, *Historia de la fundación y discurso de la Provincia de Santiago de México de la Orden de Predicadores* (Edición original, Madrid,
1596), Bruselas, 1625 y edición facsimilar, México, 1955, p. 639; en adelante, *Historia de la fundación*.

ción contra el fraile que mandó azotarlo "sin rigor". Para descubrir que el oaxaqueño estaba vivo pidió, antes de que lo enterrasen en la iglesia, que le quemasen los pies, con lo que se levantó para huir. Tampoco debió ser creída esta versión, ya que ahora "los hombres mal intencionados començaron luego a dezir que los frayles se hazían Inquisición y que quemaban a los Indios: y vino la voz al Virrey y Audiencia de México.. No han menester más verdad que ésta los Españoles que viven entre Indios, para infamar a sus ministros..."[38] Sorprende que unos azotes "sin rigor" y un fuego aplicado a los pies de un oaxaqueño sólo para hacerlo reaccionar, en un apartado pueblo de la sierra, tuvieran tanta credibilidad que hubiesen llegado al virrey y la Audiencia. Esto no ayudaba a la reputación de los monjes españoles, percibidos como inquisidores. Agrega Dávila Padilla que todavía empeorarían las cosas: "Creció esta fama con otro caso que succedió buscando el religioso [Pedro Guerrero] al Dios que (dezían) causaba los temblores de la tierra. Llamó a los principales del pueblo de Taba [...] El triste Alcalde cogió un soga, y dixo a los demás que hiziessen como hombres y no descubriessen el ydolo..."[39] La historia terminaría con el "suicidio" del alcalde de Tabaá –un *indio idólatra*–, que no quiso descubrir el lugar en que se guardaba la imagen sagrada buscada por los frailes, si no fuese porque después de este lamentable desenlace

> La justicia del pueblo mandó, que pues aquel Indio avía muerto haziéndose indigno de sepultura, que le quemassen el cuerpo para que los demás temiessen, y declarassen los ydolos. Esto fue con acuerdo de aquel religioso, y aquí se avivó la voz de que los frayles quemavan a los Indios. Súpose la verdad, y quedaron los maldizientes conocidos, y los ydolos descubiertos; porque como corrió esta voz por la comarca, acudían los Indios trayendo ydolos a cargas y montones, y diziendo que allí estavan, que los quemassen todos y no a ellos, como al alcalde de Taba.[40]

[38] *Historia de la fundación*, p. 640.
[39] *Historia de la fundación*, p. 640.
[40] *Historia de la fundación*, p. 640.

La versión recogida por Dávila Padilla no resiste el análisis: el alcalde supuestamente no murió en la hoguera, pero el resto de los habitantes de Tabaá no querían que los quemasen "como al alcalde". La fama de que quemaban a los oaxaqueños quizá disgustaba a los frailes, pero tenía sus ventajas: se trata de la persistente ambigüedad de la Inquisición, que debe disimular sin sacrificar su imagen atroz. Tampoco se debe perder de vista que este episodio ilustra una vez más la predilección de los religiosos por el castigo ejemplar en la persona de alguien notorio. Al relatar la vida de Bernardo Alburquerque, monje dominico, inquisidor y segundo obispo de Oaxaca, Padilla se admira de la astucia con la que este personaje trataba a los oaxaqueños:

> Era muy afable con los Indios, amávalos con ternura, enseñávales con paciencia, atraíalos con afabilidad, y mostrábase a todos padre, desseando que sirviessen al que lo es de todos. Lo que más admira, es, que con ser los Indios Mixes de duro natural, y que quieren ser tratados con asspereza, con todo esso los tenía siempre a su voluntad el bendito padre con ternura. Son aquellos Indios feroces, belicosos, valientes, ambiciosos y soberbios, con tan mala inclinación, que todo el favor convierten en ponçoña, y para governarlos bien, importa siempre llevar tirante la rienda con el temor, porque no se la dé demasiada el amor...[41]

Alburquerque es un buen ejemplo de inquisidor especializado en nativos mexicanos, tanto en su papel de monje como de obispo, ilustrando igualmente la versatilidad de las investiduras (todo el abanico de las religiosas, sin excluir las civiles) desde las que se ejercía el oficio de inquisidor. Dávila Padilla, siguiendo un guión repetido por estos cronistas, insiste en presentar a su colega como un hombre amoroso de los oaxaqueños, pero no olvida que Alburquerque sabía *llevar tirante la rienda con el temor*, y son testimonio de ello los numerosos –y algunos espectaculares– autos de fe que tuvieron lugar en Oaxaca durante su gestión episcopal. Uno de ellos de particular importancia: el que tuvo como víctimas a los

[41] *Historia de la fundación*, p. 294.

últimos seis sacerdotes zapotecos de Mitla, hacia 1560. Pero veamos otro nexo entre la "evangelización" y la Inquisición que tiene a un sucesor de Alburquerque como protagonista central: el obispo Isidro Sariñana –también *Calificador del Santo Oficio de la Inquisición*–, quien instituyó en Oaxaca, en 1690, una prisión inquisitorial para sacerdotes oaxaqueños no católicos, con gran claridad sobre lo que quería conseguir con ella. Diego Villavicencio, autor de un tratado inquisitorial publicado en 1692[42] consideró adecuado dedicarlo a Sariñana. Éste, agradecido, le envió una carta en septiembre de ese mismo año, en que le exponía su propia experiencia inquisitorial. Villavicencio decidió incorporarla de inmediato a su propia obra, como introducción a la misma. Sariñana explica ahí que las antiguas religiones oaxaqueñas (llamadas por él "idolatría" y "superstición") eran practicadas en secreto porque sus creyentes "conocen la gravedad de su pecado" (y no, por ejemplo, por temor a la Inquisición). Expone primero las reflexiones que el tema le ha sugerido –de gran interés para la documentación de la devastación cultural llevada a cabo en México– en los siguientes términos:

> ... quando dice el Señor q'ha de destruir la idolatría, dice también, que ha de vorrar los nombres de los Ministros, que la cuidan, y falsos Sacerdotes, que la fomentan: dándonos â entender qua' eficaz medio para su extirpación es borrar la memoria de sus dogmatistas, maestros y Sacerdotes, éstos son los que conservando libros, y transfiriendo de padres á hijos los quadernos de sus diabólicos ritos, en cuyos caracteres, estudian la práctica de su perniciosa enseñanza, pasan a la posteridad las supersticiones de la gentilidad, y cultos del demonio...[43]

Finalmente, propone la solución que él mismo ya ha puesto en práctica:

---

[42] Diego Villavicencio, *Luz y methodo de confesar idólatras, y destierro de idolatrías, debajo del tratado siguiente*, Imprenta de Diego [roto], Puebla, 1692; en adelante, *Luz y methodo*.

[43] "Introducción", sin paginación, en *Luz y methodo*.

... con el motivo de remediar este daño â expensas de la religiossísima piedad del Rey N. Señor (que Dios guarde) he edificado en esta Ciudad cárcel perpetua para reclusión de dogmatistas, y maestros, juzgando que extraerlos, y sacarlos de los pueblos, es arrancar las raízes de la Idolatría.[44]

Villavicencio, en la misma obra, elogia la iniciativa que Sariñana le comunica: "... el Illustríssimo Señor Doctor D. Isidro de Sariñana, y Cuenca, tiene aprisionados a los Idólatras de su Diócesis, y los hace castigar, conforme a la gravedad de su pecado, y delito..."[45]

Eutimio Pérez, basándose en la información proporcionada por Francisco Lorenzana (a quien copia casi textualmente) sobre Sariñana, se refiere a la labor "evangelizadora" de este personaje en un breve párrafo: "... procuró con empeño extirpar la idolatría, enseñando y practicando actos [sic por autos] de fe con los neófitos, y haciendo una cárcel en el Palacio Episcopal para los idólatras contumaces."[46]

La información que proporciona Lorenzana sobre Sariñana es la siguiente: "Procuró con empeño extirpar la Idolatría, celebrando Autos de Fe, y haciendo una cárcel para Idólatras..."[47]

La cárcel de Sariñana también fue mencionada por Toribio Medina, quien se enfrenta a este respecto con la confusión introducida por los españoles sobre la sujeción de los mexicanos a la Inquisición:

Según es sabido, los inquisidores no conocían de causas de los indios, pero éstos no quedaron exentos de los castigos de los obispos.

[44] "Introducción", sin paginación, en *Luz y methodo*.
[45] *Luz y methodo*, p. 97.
[46] Eutimio Pérez, en *Recuerdos históricos del episcopado oaxaqueño*, Imprenta de Lorenzo San Germán, Oaxaca, 1888, p. 35; en adelante, *Recuerdos*.
[47] Francisco Lorenzana, "Serie de los ilustrísimos señores obispos de la santa Iglesia de Antequera en el Valle de Oaxaca", en *Concilios provinciales primero y segundo, celebrados en la muy noble y leal ciudad de México en los años de 1555 y 1565, dedicados a los ilustrísimos sufragáneos de dicha metrópoli*, Hogal, México, 1769, p. 311.

El de Oaxaca había hecho cárcel perpetua en 1690. Habiendo encontrado indios dogmatistas, maestros de idolatría, en once pueblos de la sierra de Xuquil celebró auto en la catedral, reconciliándolos y penitenciándolos, y metiendo a 26 principales en cárcel perpetua.[48]

La afirmación inicial de Medina sobre la no competencia de la Inquisición sobre los americanos no corresponde a los hechos, pero es explicable por la época en que el historiador chileno hacía su trabajo. Sin embargo, él mismo advirtió que sí había, de hecho, una Inquisición para los mexicanos, ejercida por los obispos, como el propio párrafo citado establece. El término *reconciliar*, en el lenguaje inquisitorial, es sinónimo de castigar (y sentenciar a muerte, como vio Riva Palacio). *Dogmatistas* significa que las víctimas en este caso eran no sólo practicantes de otra religión, sino, como dice la cita, *maestros* de ella, sacerdotes... y *principales*, lo que no constituye ya una sorpresa para el lector.

En general se evitaba, y no sólo por consideraciones jurídico-legales, el nombre de la Inquisición cuando sus víctimas eran americanas. Había razones de imagen que llevaron a la elaboración de toda una historia a modo para este propósito; por ello el problema de las víctimas americanas de la Inquisición española llegó tarde a la historiografía y en buena parte aún está en vías de ser correctamente percibido. La idea prevaleciente durante la Colonia y años posteriores era la que exponía en 1813 un participante en los debates de las Cortes de Cádiz: "Los señores americanos, que tienen la fortuna de conservar en vigor una ley que protege a los indios contra este tribunal, pues prohíbe para ellos la Inquisición..."[49]

Medina participaba en parte de una opinión similar, pero su estudio de los archivos inquisitoriales relativos a México que con-

---

[48] *Historia del Tribunal*, p. 370.

[49] Agustín Argüelles, discurso en la sesión del 9 de enero de 1813, en Genaro García, "La Inquisición de México. Sus orígenes, jurisdicción, competencia, procesos, autos de fe, relaciones con los poderes públicos, ceremonias, etiquetas y otros hechos. Documentos inéditos tomados de su propio archivo", en *Documentos inéditos o muy raros para la historia de México*, vol. v, Librería de la Vda. de Ch. Bouret, México, 1906, p. 31.

sultó en España le hizo advertir otra cosa, tan relevante que con estas líneas inicia su libro:

> Causas de fe hubo en América desde mucho antes que en ella se fundaran los tribunales del Santo Oficio. Los obispos como inquisidores ordinarios en sus respectivas diócesis habían procedido a enjuiciar, encarcelar y condenar a muchos reos y aún a quemar a algunos.[50]

Continúa Medina un poco adelante:

> ... el hecho es que en el virreinato de México los Obispos, por sí o sus vicarios, ejercieron sus facultades inquisitoriales ordinarias, en un grado tal, que llega realmente a sorprender, tanto por la novedad del asunto, hasta hoy desconocido en absoluto de los historiadores, como por los extremos a que arribaron en algunos casos.[51]

Medina percibió las dificultades que enfrentaría el estudioso que quisiese abordar el tema, como observa a continuación (sin embargo, él mismo omite decir que el campo de actividades de los inquisidores ordinarios era la "evangelización" de los mexicanos):

> Esas listas de procesados por los obispos habrían podido aumentarse considerablemente si los inquisidores se hubiesen cuidado de especificar los expedientes que se les enviaron luego de haber entrado en funciones el Tribunal de México. Por desgracia, los ministros, al dar cuenta al Consejo de los primeros negocios en que habían tenido que entender, se limitaron al respecto a expresar que, fuera de aquéllos, había "otros que se podían sacar de procesos remitidos hasta aquí por los Ordinarios [es decir, los obispos: inquisidores ordinarios] de México, Mechoacán, Guadalaxara, Tlaxcala y Guaxaca".
> La lista que damos en el libro nuestro á que nos referimos es indudablemente incompleta, como se comprenderá en vista de lo

[50] *Historia del Tribunal*, p. 9.
[51] *Historia del Tribunal*, pp. 9-10.

que acaba de leerse; pero de sobra elocuente para manifestar que los obispos habían alcanzado aún a celebrar autos de fe.[52]

Heinrich Berlin constató las dificultades de investigar los procesos inquisitoriales contra oaxaqueños, y es posible que minimice la dimensión real de la intervención de los obispos atendiendo demasiado a la letra las declaraciones de la Inquisición oficial y a la reacción del obispo en el caso que él estudia, ocurrido en 1653.[53] La cárcel de Sariñana, concluida 37 años después, hace pensar otra cosa. Con todo, la investigación del tema ha avanzado mucho en las décadas recientes gracias sobre todo, como ya señalamos, a los trabajos de Greenleaf e, incluso, de Solange Alberro.[54] Ahora se habla ya de una Inquisición que actúa (y que lo hace *específicamente*, además) contra los americanos, aunque existe todavía la tendencia a ver tal situación como algo marginal, estadísticamente irrelevante, olvidando que la intención implícita y explícita del *escarmiento ejemplar* da al auto de fe una dimensión social que rebasa con mucho lo que el número de víctimas directas expresa. Greenleaf se vale del número de casos conservados en los archivos de la Inquisición para esta reducción de su importancia, olvidando que hay otros factores en juego: "Los archivos de la Inquisición y otras fuentes hacen pensar que sólo una parte insignificante de la población de México fue afectada por las actividades del Santo Oficio".[55]

Puede incluso proponer estadísticas que habrían hecho menos temible su impacto social:

[52] *Historia del Tribunal*, p. 10.

[53] Heinrich Berlin, "Las antiguas creencias en San Miguel Sola", *Beiträge zur Mittelamericanischen Völkerkunde*, Hamburgo, 1957, pp. 11-12; e igualmente en *Idolatría y superstición entre los indios de Oaxaca*, edición reciente de los documentos de Balsalobre y Hevia, Ediciones Toledo, México, 1988, pp. 7-89.

[54] Solange Alberro, *Inquisición y sociedad en México, 1571-1700*, trad. de la autora, Fondo de Cultura Económica, México, 1988; en adelante *Inquisición y sociedad en México*.

[55] "Introducción", en *Inquisición y sociedad*, p. 2.

Cuando los científicos sociales, utilizando técnicas de cuantificación, estudian los archivos de la policía moderna, encuentran muchos problemas de análisis idénticos a los que encuentra el investigador de los archivos de la Inquisición. Resulta que el 95% de la población total del México colonial nunca tuvo contacto con la Inquisición. Del 5% que lo tuvo, las cinco sextas partes nunca llegaron a ser juzgadas por falta de pruebas; y de la sexta parte que fue juzgada por el Santo Oficio, quizás el 2% fue condenado, el 0.5 % fue sometido a tortura judicial y menos del 0.1% fue ejecutado. Estas cifras, aunque lamentables para el hombre moderno, ofrecen gran contraste con las cuentas de los historiadores góticos de la Inquisición, que dan una imagen muy deformada del alcance de la institución en la sociedad.[56]

Aún a riesgo de ser calificados por Greenleaf de "historiadores góticos" podemos proponer al lector un ejercicio estadístico en el que se cuantificase el porcentaje de la población francesa que murió en la guillotina durante el período del Terror: el Tribunal Revolucionario *sólo* dictó 2,596 sentencias de muerte desde su creación hasta la caída de Robespierre. Francia tenía entonces (1793-1794) una población de unos 25 000 000 de habitantes. Esto arroja que el Terror ocasionó la muerte de un 0.0001% de la población francesa: mil veces menos que las víctimas mexicanas de la Inquisición. Y sin embargo, sería muy poco prudente el historiador que intentase calificar el período del Terror en Francia como un episodio irrelevante. Hacer estadísticas de este tipo, considerando muertes como las que sufrían las víctimas de la Inquisición o del Terror bajo la misma luz que cualquier crimen recogido en un archivo policiaco significa pasar por alto las diferencias que existen entre, digamos, ser asesinado en un camino rural en México o Francia, o serlo mediante una ejecución pública con la que culmina todo un proceso concebido para inspirar, precisamente, el máximo de *terror*, en el que las víctimas no pueden defenderse realmente frente a un poder que las

---

[56] "Introducción", en *Inquisición y sociedad*, p. 7.

rebasa por completo, y si son personajes notorios lo que se busca
es no sólo suprimir a sus personas, sino lo que representan. Es
el caso, en México, de los sacerdotes y líderes mesoamericanos
azotados y quemados en la hoguera, de los que es sólo un ejemplo Chichimecatecuhtli (ejecutado después de ser exhibido en la
plaza principal de la capital con asistencia obligatoria de toda la
población); o, en Francia, tanto de los sacerdotes católicos recal-
citrantes como de los monarquistas decapitados: Marie Antoi-
nette, por ejemplo (igualmente ejecutada en una plaza central de
la capital, con presencia multitudinaria de espectadores). Ignorar
la dimensión psicológica, política y social del terror al hacer una
estadística es emplear un método de análisis tal vez apto para
otros fines, pero que la historia difícilmente puede recoger. Esto
ya fue advertido por Kamen:

> En realidad, la excesiva y exclusiva atención al tribunal [de la Inqui-
> sición] y a sus archivos, más que a un contexto social más amplio
> en el que éste operó, frecuentemente ha amenazado dándonos una
> imagen equivocada de su papel, algo como si uno fuera a emprender
> una historia de la policía sin conocer mucho sobre la sociedad, las
> leyes o las instituciones dentro de las cuales ésta trabaja.[57]

Alberro, por su parte, parece sentirse también obligada a mi-
nimizar el alcance de la Inquisición, no sólo en las cifras globales
(diferentes en su caso a las de Greenleaf), sino también con respecto a la población americana, lo que significa un retroceso en la per-
cepción del problema que plantean el propio Greenleaf, o incluso
el mismo Medina, hace ya un siglo. Así, tenemos esta afirmación
de la investigadora reciente:

> Por lo tanto, la mayor parte de la población, de hecho el 80%, per-
> manece ajena al procedimiento inquisitorial por dos razones: al

[57] Henry Kamen, Prefacio a la edición de 1985 de *La Inquisición española*,
trad. de Gabriela Zayas, Dirección de Publicaciones del Consejo Nacional para la
Cultura y las Artes, México, 1990, p. 10.

quedar exentos del fuero del Santo Oficio, los indígenas no pueden ser inculpados y, por otra parte, el peso del contexto sociocultural los excluye prácticamente de la función de denunciantes. Así es que la Inquisición mexicana funciona por y para el 20% de la población, unas 450,000 personas aproximadamente entre españoles –metropolitanos y criollos–, europeos en general, mestizos, africanos, mulatos y asiáticos, puesto que la única condición para que interviniera el Santo Oficio era que el sujeto fuese cristiano.[58]

O esta otra, más extraña aún: "La idolatría no está prácticamente representada [porcentualmente, en el total de actividades punibles] ya que los indígenas no pertenecían al fuero inquisitorial, como lo hemos señalado anteriormente..."[59]

Se puede afirmar, con el propio Greenleaf entre otros, cómo los americanos no sólo no eran ajenos al "fuero inquisitorial", sino que se encontraban entre sus principales víctimas. A pesar de la dilución estadística que elabora, Greenleaf reconoce contradictoriamente, y para sorpresa de quienes niegan la actividad de la Inquisición contra los mexicanos, que "en su mayor parte, el centro de las actividades inquisitoriales eran los indios y los extranjeros..."[60]

Aunque para él esto –y tales paradojas son características de este autor– en realidad aligera el peso de la Inquisición, ya que, agrega, "... el pueblo mexicano consideraba el Santo Oficio como una institución relativamente benigna que protegía la sociedad y la religión contra los traidores y los fomentadores de la revolución social".[61]

Uno no puede menos que preguntarse qué entiende Greenleaf por *pueblo mexicano*, ya que de él están excluidos los *indios* tanto como los *extranjeros*; pero en otra parte el propio Greenleaf precisa esto:

---

[58] *Inquisición y sociedad en México*, p. 26.
[59] *Inquisición y sociedad en México*, p. 170.
[60] "Introducción", en *Inquisición y sociedad*, p. 9.
[61] "Introducción", en *Inquisición y sociedad*, p. 9.

Ya que la mayor parte de las sentencias severas se dictaban contra los extranjeros y los indios, el español que vivía en Nueva España consideraba a la Inquisición como una institución benigna que protegía a la religión y a la sociedad españolas de los ataques de traidores y sediciosos que fomentaban la revolución social.[62]

A pesar de todo, el trabajo de Greenleaf representa un gran avance en el estudio de un problema que sólo poco a poco (y sin olvidar que aún falta mucho por hacer) ha ido imponiendo su existencia. Greenleaf estudia realmente, al ocuparse de la relación entre los *indios* (para no olvidar la terminología hispano-católica) y la Inquisición, un problema técnico-jurídico, y el título mismo de su estudio no puede ser más exacto: *La Inquisición y los indios de Nueva España: un estudio de la confusión jurisdiccional.* Lo que este trabajo documenta exhaustivamente es la existencia de un entretejido de ordenamientos legales, prácticas toleradas, disimulos, rivalidades y complicidades que se entrecruzan de todas las maneras posibles, entre frailes-inquisidores, obispos-inquisidores, inquisidores-inquisidores... e incluso podría haberse extendido, agregamos nosotros, a los *conquistadores*-inquisidores (los casos ya mencionados de Tlaxcala y Quecholac: en el primero, los tlaxcaltecas "fueron quemados por pertinaces, por mandado de Cortés";[63] en el segundo, Cortés "dió comission á el Conquistador Pedro de Villanueva... para que castigase"[64] a los habitantes de Quecholac responsables de la muerte de un célebre cura "gran perseguidor de la Idolatría":[65] el castigo consistió en un auto de fe, del que se hizo una pintura, en que se veía "una hoguera en que se estaban quemando cantidad de Indios).[66] Sin olvidar a los burócratas-inquisidores: el virrey Mendoza expidió en 1546 un *Código penal u Ordenanza para el Gobierno de los Indios* que

---

[62] *La Inquisición en*, p. 223.
[63] *Relaciones... Tlaxcala*, tomo I, cuadro 14.
[64] Apéndice 7, *Inquisición y arquitectura*, p. 261.
[65] Apéndice 7, *Inquisición y arquitectura*, p. 260.
[66] Apéndice 7, *Inquisición y arquitectura*, p. 261.

prescribe castigos inquisitoriales (prisión, azotes, trasquiladuras, ser herrados con un hierro caliente, atados en el tianguis con el gorro inquisitorial en la cabeza, etc., sin omitir la posibilidad de ser gravemente castigados) para quienes fuesen sorprendidos en prácticas religiosas no católicas (lo que incluye, por ejemplo, tomar baños de agua caliente sin estar enfermos). Este importante documento (expedido a nombre de Carlos v), dado a conocer en 1940 por Edmundo O'Gorman, fue relacionado por el historiador con la necesidad de los españoles de "organizar sistemáticamente la campaña de evangelización".[67] Se pueden citar algunos puntos ilustrativos de su naturaleza:

> Por cuanto hasta agora no se ha dado noticia a los indios naturales de esta Nueva España, de algunas cosas que han de tener y saber, de más y aliende de las que se les han enseñado y enseñan por los religiosos que entienden en su conversión...
>
> 1. Primeramente ordenamos y mandamos que a los indios naturales de esta Nueva España, así los que están en nuestra Real cabeza como encomendados en personas particulares, se les dé a entender digan y hagan saber que han de creer y adorar en un solo Dios verdadero, y dejar y olvidar los ídolos que tenían por sus dioses, y adoraciones que hacían a piedras, Sol y Luna y papel e a otra cualquier criatura, y que no hagan ningunos sacrificios ni ofrecimientos a ellos, con apercibimiento que el que lo contrario hiciere, si fuere cristiano, averiguando ser verdad o alguna cosa de ello, mandamos que por la primera vez le sean dados luego cien azotes públicamente, y le sean cortados los cabellos, y por la segunda vez sean traídos ante los dichos nuestro Presidente e oidores, con la información

---

[67] Edmundo O'Gorman, "Nota preliminar" a Antonio Mendoza, *Código penal u ordenanza para el gobierno de los indios, México, 30 de junio de 1546*; en adelante *Código penal*, en el tomo 1141 del Ramo de Tierras del Archivo General de la Nación, expediente "Diligencias que... se han practicado a pedimento de los naturales del pueblo de Santa María Tatetla de la jurisdicción de Izúcar", publicado en *Boletín del Archivo General de la Nación*, primera serie, tomo xi, núm 2, abril-junio, 1940; también en *Tratado de las idolatrías*, tomo i, y en *Boletín del Archivo General de la Nación*, tercera serie, tomo x, volumen 1, enero-diciembre, 1986; citamos según esta última edición: p. 64.

que contra él hubiere, para que se proceda contra él conforme a justicia; y si no fuere cristiano, sea preso y luego azotado y llevado ante el guardián o prior, o iglesia más cercana, donde haya persona eclesiástica, para que por él sea exhortado e informado de lo que conviniere saber para conocer a Dios Nuestro Señor y su Santa Fe Católica...

2. Item. Si alguno no quisiere ser cristiano... que le azoten y tresquilen, y si contra nuestra religión cristiana algo dijere... sea traído preso ante nos... para que sea gravemente castigado.

3. Que el que una vez fuere bautizado, que no se bautice otra... y si lo hiciere... sea traido a la Cárcel Real...

4. ... que [aquél] que después de ser bautizado idolatrare... le azoten y tresquilen públicamente...

5. ... que el... que no se quisiere confesar... sea preso y azotado públicamente...

8. ... que el indio o india que siendo casado a ley y bendición, estuvieren amancebados, sean presos y luego azotados públicamente, si se casare otra vez, y herrados con un hierro caliente a manera de (aquí una cruz) en la frente...

9. Que el día de domingo o fiestas de guardar no viniere a la doctrina e misa y sermón, si lo hobiere, por la primera vez esté dos días en la Cárcel, y por segunda sea azotado...

12. El... que hiciere alguna hechicería... sea preso y azotado públicamente, y sea atado a un palo en el tiangues, do esté dos o tres horas con una coroza en la cabeza...

16. Que los indios o indias que no estuvieren enfermos, no se bañen en baños calientes, so pena de cien azotes y que esté dos horas atado en el tiangues...

17. Que el indio o india que tañiendo el Ave María no se hincare de rodillas, que sea reprendido, y lo mismo... si pasando por delante de la cruz u otra imagen, e no hicieren acatamiento... que sea azotado públicamente.[68]

Hubo cuatro o cinco inquisiciones, y no necesariamente una reemplazó a la otra: entre la primeras está la ejercida por los frai-

---

[68] *Código penal*, pp. 64-65.

les, quienes no la abandonaron del todo ya que había disposiciones que la facilitaban (o toleraban) por razones de lejanía geográfica y otras. Una Cédula real de 1558 se ocupaba de este problema:

... a nos se ha hecho relación, que los religiosos de las ordenes de sant Francisco y scto Domingo y sant Agustín que en esta tierra residen, tienen en sus monesterios cepos para poner en ellos a los indios e indias que quieren y los aprisionan y açotan por lo que les parece y los tresquilan que es vn genero de pena que se suele dar a los yndios, lo qual ellos sienten mucho. E porque no conviene que los dichos religiosos se entremetan en cosas semejantes: vos mando, que luego que esta veays proveays que los religiosos que en essa tierra vivieren, no se entremetan a hechar en sus monesterios, ni en otra parte alguna prisiones a los yndios y yndias que en ella vivieren ni tengan cepos para los hechar en ellos ni los tresquilen ni açoten.[69]

Greenleaf ha localizado documentos del Archivo General de la Nación relativos al abuso de los frailes y clérigos en el castigo físico a mexicanos. En el Ramo "Inquisición":

Retractación de los gobernadores y alcaldes e oidores de varios pueblos de Oaxaca que habrán representado en contra de su Cura Gaspar de Tarifa, 1528; tomo I, exp. 28 [Greenleaf anota 13].

Carta del Capt. Juan de Mesa Altamirano, Alcalde Mayor de Chiapa a fray Domingo Pacheco, quejándose de los abusos de los frailes con los indios y defendiendo éstos, 1580; tomo 89, exp. 33.

Capitán Altamirano sobre las demasías de los dominicos, 1580; tomo 89, exp. 37.

Querella presentada por los indios de Macuela contra su vicario, por maltrato, 1604, tomo 368, exp. 120.

Proceso contra fraile de San Agustín por haber sacado un indio con coroza, desnudo de la cintura arriba..., 1625; tomo 510, exp. 133.[70]

[69] *Cedulario*, folio 201, verso.
[70] "Apéndice", en *Inquisición y sociedad*, pp. 183-184.

En el Ramo "Bienes Nacionales":

Los indios pintores de Santiago Tlaltelolco de esta Ciudad contra el Padre Guardián del dicho Convento sobre haber azotado a un indio pintor y de los azotes estar a punto de muerte, 1605; legajo 732, exp. 1.[71]

Nosotros hemos encontrado algún caso más de abuso de un cura contra mexicanos, con amenaza de azotes, en Oaxaca.[72]

Después de la Inquisición de los frailes vino un período en que se ocuparon de la misma los obispos, sin que eso signifique, repetimos, que los frailes abandonaron la tarea (ni el nombre de Santo Oficio de la Inquisición para referirse a la persecución de los nativos mexicanos, como evidencia el citado expediente de 1766 del arzobispado, y como veremos aún para los frailes):

El Santo Oficio de la Inquisición investió a los obispos con las funciones de jueces eclesiásticos ordinarios. [...] Pero las áreas de la jurisdicción sobre la conducta ortodoxa indígena continuaron siendo confusas; y los frailes, especialmente donde no había obispo o donde la sede episcopal estaba a dos días de distancia, conservaron las funciones inquisitoriales.[73]

Así, no sólo en el siglo XVI se puede hablar de frailes inquisidores. Se ha documentado su actividad desde muy temprano, e igualmente se sabe de la misma hasta muy tarde:

En agosto de 1574, el comisario del Santo Oficio en Oaxaca se enfrascó en un pleito con el alcalde mayor de Yanhuitlán respecto del castigo de los idólatras y de los brujos indígenas. Pedro de Ladrón de Guevara era un torpe administrador de la audiencia de México al que le importaban muy poco las prerrogativas jurisdiccionales del ordinario de Oaxaca [esto es, el obispo, que era Alburquerque] y del

---

[71] "Apéndice", en *Inquisición y sociedad*, pp. 185.
[72] *Inquisición y arquitectura*, Apéndice 2, pp. 215-221.
[73] *La Inquisición*, pp. 129-130.

Santo Oficio de la Inquisición. [...] En Yanhuitlán y en Coixtlahuaca, el alcalde Ladrón de Guevara exigió a los frailes que le entregaran a unos indígenas que el clero había encarcelado por idolatría.
[...] Estos actos causaron un gran escándalo y dieron a los indios un
mal ejemplo de desafío a la autoridad clerical, o por lo menos de esto
se quejaron los frailes con el inquisidor Moya de Contreras.

Fray Jacinto de la Serna, autor del famoso tratado sobre la idolatría indígena de principios del siglo XVII, y fray Jerónimo de Abrego,
quien desempeñaba el puesto de juez de los idólatras en Oaxaca,
acusaron a Ladrón de Guevara ante el Santo Oficio. Afirmaron que
el alcalde se había burlado de los frailes diciendo que no es posible
salvar con actos disciplinarios clericales a los indios que habían re-
caído en el paganismo. Los dos frailes acusaron al alcalde Ladrón
de Guevara de romper la puerta del monasterio para llevarse a un
idólatra al juzgado civil.

[...] El tribunal del Santo Oficio se vio situado entre los dos ban-
dos opuestos. Les tomaron declaración a muchos frailes e indígenas
que habían presenciado los sucesos. Sin duda, Moya de Contreras
aprendió mucho sobre los procedimientos civiles en las provincias y
sobre el aparato llamado "Provisorato de Indios", que había asumido
la jurisdicción del ordinario en las trasgresiones de los indígenas a la
ortodoxia. [...] Probablemente el doctor Moya de Contreras rechazó
el alegato, porque los frailes estaban actuando como inquisidores
en Oaxaca y deseaba aclararles que el tribunal del Santo Oficio en
la ciudad de México era la única inquisición en Nueva España. Los
frailes de Oaxaca continuaron operando una inquisición monacal
en la Mixteca, y el ordinario siguió dándose el título de "inquisidor
ordinario" hasta que se lo prohibieron en una cédula real de 1623.
A pesar de esta prohibición, continuó habiendo el mismo tipo de
actividad inquisitorial fuera de la jurisdicción del tribunal de la Inquisición ya muy avanzado el siglo XVIII.[74]

[74] *La Inquisición en,* pp. 191-192. Greenleaf confunde, en este caso, a Antonio
de la Serna, vicario entonces de Coixtlahuaca, con Jacinto del mismo apellido,
comisario del Santo Oficio y autor en efecto del tratado que él menciona (que
hemos citado arriba). Una confusión similar aparece en la obra de José Maria-

En el mismo sentido, Greenleaf vuelve a ocuparse de la actividad inquisitorial de los frailes en Oaxaca y de los consabidos pleitos por invasión de límites jurisdiccionales, en relación ahora con Villa Alta:

La idolatría y los sacrificios eran una de las preocupaciones del clero casi en todas partes en Nueva España durante los siglos XVII y XVIII, pero el problema era particularmente agudo en Oaxaca. Tanto el clero secular como el regular en las regiones lejanas del obispado de Antequera tenían que enfrentarse al paganismo renaciente. Se encuentran muchos documentos sobre este tema en Villa Alta, en los archivos provinciales para la época 1666-1736.

Una confusión famosa de la jurisdicción de la Inquisición se produjo en Oaxaca en 1706 cuando el dominico fray Gaspar de los Reyes tuvo unos altercados con los poderes civiles y eclesiásticos sobre el juicio de unos indios por idolatría y brujería en Villa Alta. Reyes era el sacerdote del Partido de Santiago Xuchyla y el vicario provincial de la región Zapoteca de la Cerrana de Villa Alta. Tenía los títulos de juez eclesiástico ordinario, que le había concedido el obispo de Oaxaca, fray Angel Maldonado, y de comisario del Santo Oficio de la Inquisición de Oaxaca, a cargo del doctor José Valero. Porque había iniciado procesos al estilo de la Inquisición entre los indios de Xuchylla, fue cesado como ordinario y como comisario. Además fue acusado de desequilibrio mental por el alcalde de Villa Alta, que era amigo íntimo del obispo Maldonado en la ciudad de Oaxaca.[75]

Este caso es bastante ilustrativo de otra de las fuentes de confusión en la materia: no sólo hay varias inquisiciones, sino que un mismo personaje puede reunir diversos cargos: fraile e inquisidor, fraile y obispo, obispo e inquisidor... Adicionalmente, la rivalidad

---

no Beristáin, *Biblioteca hispano americana septentrional*, 2 vol., Ediciones Fuente Cultural, México, 1947, donde se hace autor a Juan de la Serna (quien fue en algún momento párroco de Jalatlaco) de una obra que no sería otra que la de Jacinto.

[75] *Inquisición y sociedad*, p. 132.

o complicidad entre el poder político y el de los religiosos (que no es uno solo, y las disputas internas llegan a ser muy serias) pueden decidir el curso de un proceso.

La Inquisición ejercida por los obispos dio también motivo a discusiones interminables, como la que originó el largo alegato jurídico en que consiste el ya citado texto de Sánchez Aguilar, de 1639 (*Informe Contra los Adoradores de Idolos*), cuyo subtítulo lo resume perfectamente: *Una Cuestión. ¿Puede el Obispo de Yucatán, Aprehender, Encarcelar y Azotar, sin el Auxilio del Brazo Secular, a los Indios de esta Provincia, que Adoran a los Idolos?* En la línea inferior, como epígrafe, transcribe: "Señor! Levántate y juzga tu causa", para iniciar su "Informe" con estas palabras:

> No se reciba a mal que primeramente invoque, según lo acostumbra la santísima Inquisición, el nombre de Cristo para tratar esta cuestión, en que se versa en sumo grado la causa de Dios, como es propagar la Fe y extinguir de raíz entre los habitantes del reino yucateco la herejía cual es la detestable idolatría. En efecto, se opone al Dios Óptimo y Máximo este horrendo pecado, de tal suerte, que para combatirlo no son suficientes las humanas fuerzas, es preciso todo el divino auxilio.[76]

La exclamación que sirve de epígrafe a Sánchez Aguilar no es cualquier cita (proviene de la Biblia): es el lema oficial de la Inquisición española en México. E igualmente conviene ver algo en el mismo tenor, pero ahora negando a los obispos –contrariando un siglo después los deseos de Sánchez Aguilar– el derecho a emplear las *formas* inquisitoriales, como acostumbraban hacer. Recoge Medina una queja alusiva, levantada por los inquisidores todavía en 1768:

> En el desempeño de sus funciones inquisitoriales [los inquisidores oficiales] habían tenido también algunas dificultades, derivadas de que el Provisor del Arzobispado pretendía reducir las causas que

---

[76] "Informe contra", p. 193.

formaban a los indios a estilo del Santo Oficio, despachando títulos
de notarios, familiares, consultores y calificadores, "como que le son
impropios, ridículos e impertinentes, por no poder proceder contra
dichos indios como herejes ni sospechosos, sino como quebranta-
dores de las leyes y preceptos divinos".[77]

Por su parte, el Santo Oficio mismo, aunque no debía, siguió
ocupándose de las prácticas religiosas mesoamericanas:

> Los indios continuaron sometidos a la jurisdicción de la Inquisición
> ordinaria hasta 1571, y aún después de esa fecha el Santo Oficio si-
> guió las investigaciones de las idolatrías, las supersticiones nativas y
> otras prácticas prohibidas. [...] En todo el Virreinato de Nueva Espa-
> ña continuó habiendo conflictos de jurisdicción en los juicios contra
> los indios. Ni siquiera al término del siglo XVI y principios del XVII
> se resolvió esta cuestión...[78]

Y también:

> La Inquisición novohispana continuó investigando la ortodoxia de
> la población indígena después de 1571, aunque la jurisdicción de los
> nativos le estaba vedada al tribunal, pues le estaba reservada al obis-
> po en su calidad de ordinario.[79]

El estudio de Greenleaf es un tratamiento exhaustivo del problema que representa este enredo jurisdiccional. Pero aunque para
estudiosos como él esta confusión jurídica sea muy interesante, e
incluso la vean como manifestación de un prurito jurídico que se
resolvía con corrección formal (cita casos en Oaxaca, Guatemala y
Zacatecas)[80], no es conveniente perder de vista que muchos ameri-

---

[77] *Historia del tribunal*, p. 370.
[78] *La Inquisición en*, pp. 112-114
[79] *La Inquisición en*, p. 187.
[80] *La Inquisición en*, pp. 112-114, así como "La Inquisición y los indios", en
Inquisición y sociedad, pp. 134-138.

canos recibieron azotes, fueron a prisión o murieron en la hoguera con independencia de quién les haya impuesto el castigo. Un caso hubo en 1710-1713 en que el Santo Oficio arrancó a un mexicano de las manos de la Inquisición ordinaria, a la que "correspondía" la víctima (los resultados hubiesen sido los mismos para ella), por ser el inculpado persona de importancia y considerar los inquisidores, necesariamente, que merecía un castigo ejemplar. Aunque el auto de fe no concluyese en la hoguera si habría gran aparato de azotes y humillaciones, prometiendo ser espectacular y propicio, por ello, para un mayor lucimiento del inquisidor que lo ejecutase.[81] La discusión por la jurisdicción sólo concernía a los distintos cuerpos de inquisidores y no significaba una liberación para la víctima. La persistencia de este empeño por parte de los religiosos se explica si no olvidamos que la dimensión de su poder en el México colonial es indisociable de su actividad inquisitorial, que debe verse como parte fundamental de lo que algunos han llamado *conquista espiritual*.[82]

El comportamiento de los españoles en América cuando se trataba de sus intereses políticos y económicos todavía sorprende por los extremos que alcanzó. Los religiosos lo criticaban cuando los propósitos del mismo no eran manifiestamente *cristianos*, pero podían igualar al resto de sus compatriotas en infamia cuando de sus propios intereses se trataba. La actuación de los cristianos españoles en América constituye desde hace mucho un verdadero caso de análisis para los estudiosos de la moral. Judith N. Shklar, a propósito de Montaigne, nos dice que para éste y Montesquieu

> ... el fracaso del cristianismo desde el punto de vista moral se manifestó perfectamente en la conducta de los españoles en el Nuevo Mundo. Aquellos conquistadores ya no eran simples figuras históricas, sino actores en una obra de moralidad intemporal. Montaigne los consideró como el ejemplo supremo del fracaso del cristianismo. Éste predicaba una doctrina más pura que ninguna otra religión,

[81] "La Inquisición y los indios", en *Inquisición y sociedad*, pp. 136-138.
[82] Es el caso, por supuesto, de Robert Ricard.

pero tenía menor influencia sobre la conducta humana. Mahome-
tanos y paganos solían mostrar mejores costumbres que los cristianos. ¡Qué oportunidad se perdió cuando el Nuevo Mundo fue
descubierto por españoles! ¡Cómo habría florecido el Nuevo Mundo
si entre los naturales se hubiesen introducido las virtudes griegas y
romanas! En cambio, hubo una matanza sin precedente, causada
por la sed de oro, mientras que hipócritamente se hablaba de hacer
conversiones al cristianismo; y es que hipocresía y crueldad van de
la mano y están, por decirlo así, unidas en su celo. El celo había
ocupado el lugar de la religión y de la filosofía, y obraba maravillas
"cuando fecunda nuestra propensión al odio, la crueldad, la ambi-
ción, la avaricia, la maledicencia, la rebelión" y similares.[83]

Los españoles –incluidos los religiosos– se comportaron siempre con alguna conciencia de que "la crueldad se facilita mediante
la hipocresía y el autoengaño",[84] como observa igualmente Shklar.
Bitterli, por su parte, ha señalado también esto:

La capacidad para albergar sentimientos humanos pareció sufrir
una involución en la medida en que los españoles se afirmaban en
su papel dominador. Como el historiador colonial Prescott dijo en
relación con estos acontecimientos, para la moral resulta muy pe-
ligroso ser el más fuerte. [...] Los responsables guardaron silencio
sobre sus atrocidades y se engañaron a sí mismos con afanoso opti-
mismo de pioneros acerca de los efectos catastróficos de su política
indígena. Y de vez en cuando respondían a las objeciones críticas
que se les hacían, con una falta de comprensión que no siempre, ni
mucho menos, era simulada.[85]

Las atrocidades cometidas por los frailes y los obispos tampoco escaparon a la atención de otros españoles tan bárbaros como

---

[83] Judith N. Shklar, *Vicios ordinarios*, trad. de Juan José Utrilla, Fondo de
Cultura Económica, México, 1990, p. 26-27; en adelante, *Vicios*.
[84] *Vicios*, p. 29.
[85] *Los "salvajes"*, pp. 155-156.

ellos. Ahí están las críticas a Zumárraga, las acusaciones de los "maldizientes" que quiso desmentir Dávila Padilla, las cédulas que restringen sus facultades inquisitoriales o también, cuando las disputas por el poder lo hacían inevitable, las denuncias nada desinteresadas de unos religiosos contra otros. En relación con una situación que ejemplifica esto último Greenleaf se refiere a una carta del 4 de febrero de 1561 dirigida por el segundo arzobispo de México, Montúfar, al rey de España, en la que expone cómo

... las órdenes habían creado todo un aparato judicial para castigar a los indios, y establecido su propia inquisición... [...] Ellos hacían sus propios autos de fe y aplicaban severos castigos a los indígenas, en especial a los jefes indios prominentes. Dijo al rey que cuando él llegó a Nueva España los frailes le pidieron permiso para castigar a los nativos. "Ahora ya no me lo piden, porque pretenden tener facultades superiores a las del obispo".

Montúfar hizo a Felipe II una descripción convenientemente anónima de la Inquisición monacal en acción. Afirmó que esa descripción era una práctica común entre los frailes. Montúfar escribió que hacía unos tres meses un fraile había montado un aparato inquisitorial con la esperanza de atemorizar a unos indios herejes. Ató a cuatro indígenas a unos postes situados en la plaza y colocó una gran cantidad de leña alrededor de ellos. Se encendió una hoguera y el viento sopló sin control, muriendo quemados dos de los indígenas; los otros dos sufrieron graves heridas antes de que pudieran ser liberados de los postes. Otro fraile sometió a un indígena a la tortura, y le dijo que lo torturaría de nuevo al día siguiente si no confesaba. Cuando el carcelero llegó a la celda al día siguiente, descubrió que el indígena se había ahorcado para escapar de la tortura que le esperaba.

El doctor Luis Fernández de Anguis, en una carta fechada el 20 de febrero de 1561, informó al monarca acerca de los mismos incidentes. Hay relatos documentados de castigos excesivos semejantes a los de la Inquisición aplicados a los indígenas en Yucatán en la época en que Montúfar criticó a los frailes en su carta al rey. Respecto de los obvios prejuicios de Montúfar [era dominico, y sólo denuncia los casos en que intervinieron franciscanos y agustinos], es interesante observar que no dio detalles acerca de los excesos de los dominicos en 1560, cuando los frailes torturaron a los nativos y realizaron un auto de fe en Teitipac [Oaxaca].[86]

En efecto, el *accidente de trabajo* descrito por Montúfar, que costó la vida a dos mexicanos y heridas a otros tantos reaparece, casi idéntico, en el auto de fe de Teitipac. Alburquerque alcanzó el obispado de Oaxaca por recomendación, desde España, del mismo Bartolomé de las Casas. Su reputación en relación con el trato que daba a los oaxaqueños era buena, y el propio Las Casas lo había comprobado por sí mismo. Sin embargo, en materia de creencias Alburquerque era inflexible. Durante su obispado (iniciado en la década de 1550, llegaría a la de 1570) tuvieron lugar no pocos autos de fe, resultando las víctimas –*indios idólatras*, para no olvidar la terminología hispano-católica– en más de un caso quemadas vivas. En el primero, los *idólatras* (nueve sacerdotes, uno de los cuales, el principal *dogmatista*, refutaba abiertamente las declaraciones en materia religiosa de los frailes) fueron sorprendidos en Teitipac por el vicario del lugar, Domingo Grixelmo, quien pidió instrucciones al obispo, mismo que, según Francisco Burgoa, estaba "... muy ejercitado en conocer la facilidad maliciosa de estos miserables neófitos, tan arraigados en sus idolatrías, y dio orden de que se pidiese el real auxilio, para prender a los principales idólatras, y se les tomase su confesión..."[87]

Continúa Burgoa su relato:

... diose parte de todo al buen Obispo, y... juntó hombres doctos, con quienes consultó el caso, y se resolvió... que era necesario atajar tan

[86] *La Inquisición en*, pp. 130-131.

[87] Francisco Burgoa, *Geográfica descripción de la parte septentrional del polo ártico de la América y, nueva Iglesia de la Indias Occidentales, y sitio astronómico de esta Provincia de Predicadores de Antequera Valle de Oaxaca* (primera edición, Imprenta de Juan Ruiz, México, 1674), Editorial Porrúa, S. A. (reimpresión fotomecánica de la segunda edición, México, 1934), tomo II, México, 1989, p. 88; en adelante, *Geográfica descripción*, tomo II.

grave achaque con temor y asombro, para escarmiento de los demás pueblos, que estaban infestados... todos a la mira esperando a ver el castigo que en los presos se hacía, y que siendo leve, era gente criada en tantas penalidades, que son raras las que sienten, y que el rigor que tiene aprobado el derecho con los herejes contumaces, y judíos bautizados, que con rebeldía vuelven a su ciega ley, relajándolos al brazo secular para que los castigue con pena capital, sería bien asombrar a estos indios, con una demostración semejante al parecer amenazándolos con fuego, y sacándolos a un teatro, donde ligados a unos maderos, con bastante leña delante y fuego prevenido para espantarlos, los redujesen a arrepentimiento, y abjuración de sus ídolos, delante del concurso mayor que pudiese; el buen Vicario recibió su instrucción, y con autoridad del Obispo, juez de la causa, y para el fuero secular nombrado por el Alcalde Mayor, Gaspar Calderón vecino honrado de la Ciudad, se partieron para este pueblo de Teticpaque...[88]

Vemos aquí aparecer todos los elementos de que antes se ha hablado en relación con la política del terror: la presencia de líderes prominentes, la intención de hacer un escarmiento amplio, de manera *teatral* y cruel (puesto que era gente acostumbrada a los peores sufrimientos, admite Burgoa), frente a la mayor concurrencia posible. Al final de la cita Burgoa informa que el fraile Grixelmo iba como inquisidor designado por Alburquerque y acompañado por un juez civil habilitado por el alcalde de Oaxaca. Al regresar el vicario a Teitipac, dispuso las cosas, si bien

... fue a visitar a sus presos y predicarles... doliéndose aún de que llegasen [los reos] a la ocasión de salir en público, aprisionados, y con corozas [el gorro cónico que también se impuso a Chichimecatecuhtli], a los ojos del pueblo, ya con la terneza de palabras que su amoroso y blando pecho sabía decir, ya con lágrimas nacidas del corazón de verlos tan duros, y obstinados, ya con la amenaza del castigo intentado, y cada medio que elegía se malograba, por la dureza y obstinación con que los tenía Satanás, cuyo instrumento era aquel

[88] *Geográfica descripción*, tomo II, p. 88-89.

pérfido, y malicioso dogmatista, que... persuadía a los otros, que no creyesen los habían de quemar, y cuando llegasen a intentarlo los padres, eran más poderosos sus dioses, y les habían dado palabra de sacarlos libres de las llamas, y llevarlos a sus jardines, donde tendrían mucho descanso: tan firmes tenían estas esperanzas, y por tan ciertas estas falsedades, que antes deseaban el día del suplicio...[89]

A pesar del "dolor" del religioso, éste tuvo que admitir que la firmeza de las convicciones de sus víctimas los hacía preferir la muerte a convertirse a la religión católica, algo inadmisible en la política de la "evangelización". Así,

... llegaron al término de sentenciar la causa, en el fuero eclesiástico, y remitirla al secular, con los presos, y éste los sentenció a pena capital de fuego, como inconfitentes, mandó hacer un cadalso capaz, y dilatado en la plaza pública, citar a los pueblos, señalar el día, y prevenir leña, todo con arte y maña, para obligarlos a penitencia...

El episodio está concebido y narrado de forma que no puede menos que evocar, de nuevo, a Shklar: "la crueldad se facilita mediante la hipocresía y el autoengaño"; pero atiéndase la última parte del relato de Burgoa, tan similar en este punto al caso descrito por Montúfar, donde también ocurrió idéntico "accidente":

Llegó el día señalado, que fue de un inmenso concurso, que habían venido de muy lejos, previniéronse nueve maderos enhiestos en el tablado, y a una distancia de dos brazas la leña con algunas teas, sacaron los presos, leyóseles la sentencia capital, y puestos ya, en el ecúleo, o brasero se puso el siervo de Dios a predicarles con tanto espíritu, y fuerza de palabras, que daban voces de sollozos, y gemidos los circunstantes, y los reos más empedernidos que unos peñascos, y estando diciendo *Exurge Domine iudica causam tuam* [palabras que Sánchez Aguilar tradujo en el epígrafe de su libro como "Señor! Levántate y juzga tu causa": era el lema de la Inquisición española

[89] *Geográfica descripción*, tomo II, p. 89.

en México, como hemos visto], levantados al cielo los ojos en esto se prendió el fuego en la leña, sin ver, ni saber, quien pudiera haberlo hecho y por priesa, y voces que se daban los religiosos, para que se apagase, no fue posible, antes se levantó de repente tan poderoso viento, que la encendió en un volcán en un instante, y arrebatando las llamas, las embistió contra el principal idólatra, con tanta fuerza, que sin poderle favorecer tanta inmensidad de gente, en menos de un cuarto de hora lo convirtió en cenizas...[90]

Concluye la narración con la piadosa salvación de los ocho "idólatras" restantes, quienes habrían pedido misericordia cuando vieron que el fuego no estaba muy lejos de ellos. Grixelmo destruyó los "ídolos" una vez que supo dónde se encontraban y los sobrevivientes del auto de fe fueron llevados a la cárcel.[91]

El sentido teatral de este montaje inquisitorial se refleja en todo: los frailes encendieron la hoguera –pero, y esto es muy importante, debía pensarse que el encendido del fuego era el resultado de una posible intervención divina– justamente cuando Grixelmo pronunciaba las palabras *Exurge Domine iudica causam tuam*. Pertenecen al Salmo 73 y rodean el óvalo del escudo de la Inquisición española en México; eran utilizadas sólo en las circunstancias solemnes: al sentenciar a sus víctimas a la tortura, la cárcel o la muerte. Cuando Grixelmo y Sánchez Aguilar lo emplean son conscientes de que su actividad es idéntica a la inquisitorial oficial: la que correspondía, precisamente, al Santo Oficio. Obispos y frailes nunca se sintieron cómodos en el papel de inquisidores de segundo rango, y aspiraron siempre a ocupar el más alto. Burgoa, también inquisidor, no lo ignoraba al relatar el momento en que Grixelmo grita estas palabras, dando la señal para que se encendiese el fuego de la hoguera.

Burgoa se vio obligado, aplicando la fórmula, a convertir la muerte del zapoteco en "accidente". De ahí la debilidad de la oposición de unos religiosos a la crueldad ejercida por otros. Consi-

---

[90] *Geográfica descripción*, tomo II, p. 90.
[91] *Geográfica descripción*, tomo II, pp. 90-91.

derar la crueldad como el mal supremo significa, según la misma
Shklar, estar en pugna tanto con las razones del poder político –y
sin duda el económico– como con las de la religión (o, en el caso
español, de la combinación de todas ellas en una sola *razón su-
prema*).[92] Esta era la lección de Montaigne en el siglo XVI: que la
crueldad no podría tener jamás justificación alguna; sobre todo,
no una justificación *moral*. El contraste, de nuevo, que se quiere
establecer entre la actuación de los invasores movidos por la sed de
oro y la del clero (tampoco ajeno a la búsqueda del poder político
y económico) no es *siempre* tan acusado como sugieren algunos
relatos. De hecho, "evangelización" no es, si uno lo ve desde una
perspectiva laica, sino uno más de los eufemismos empleados para
describir una política de sometimiento: en este caso una cuyo objetivo era, inevitablemente (y a veces con la mejor de las intencio-
nes) el aniquilamiento psicológico y cultural de una población ya
de suyo masacrada, o, para emplear en su justo sentido un término
que tomaremos prestado a los religiosos, verdaderamente *martiri-
zada*. Aniquilación que incluye la resignación y el consuelo dentro
de sus recursos para hacerla más eficaz y perfecta. Pero incluso hablando *técnicamente* el término "evangelización" es por completo
inexacto, ya que había muy poco de los Evangelios en la empresa
colonial española, clero incluido.

Eduardo Subirats se muestra reacio a mencionar a la Inquisición por ese nombre en su obra[93] –muy crítica por lo demás sobre la actuación de sus compatriotas en América, pero parecería
ofrecer aquí todavía una última resistencia a la realidad histórica–,
a pesar de tener noticias ciertas de la misma en relación con los
americanos. Se refiere por ejemplo al caso de Ometochtzin, pero
lo reduce a un "cautiverio", sin alusión alguna al auto de fe y la hoguera.[94] No obstante, percibe muy bien la imposibilidad de hablar
de una "evangelización" española en América, relacionando lo que
se hizo bajo este nombre con la política de la colonización *total*:

[92] *Vicios*, p. 23.
[93] Eduardo Subirats, *El continente vacío*, Siglo XXI Editores, México, 1993; en
adelante, *El continente*.
[94] *El continente*, p. 84.

Podemos llamar lógica de la colonización a aquel proceso discursivo, y al mismo tiempo institucional, por medio del cual se instauró un principio de dominación y dependencia sobre las comunidades y la existencia individual del indio. Proceso que comprende la "conquista espiritual", es decir, lo que se ha llamado vaga e impropiamente "evangelización" (puesto que los breviarios, catecismos y confesionarios son, en rigor, libros doctrinarios, no libros sagrados, no la biblia y mucho menos su espíritu). Las estrategias misionales de América, desde la política sacramental hasta el sistema de impuestos eclesiásticos, desde la propaganda de la fe hasta los sistemas punitivos de herejías, idolatrías y heterodoxias, constituyen sin duda alguna el centro axial de este discurso colonizador. La lógica de la colonización es en primer lugar una *teología de la colonización*.[95]

Lo había visto ya en 1940 Edmundo O'Gorman, al analizar las ordenanzas del virrey Mendoza, cuyo fin último era despejar todas las vías a la colonización: el aparato inquisitorial –es decir, la Inquisición–, bajo los diversos ejecutores, nombres, coberturas y estrategias que empleó, ya fuera de manera explícita o con disimulo y desmentidos (aún en uso estos últimos), respondía siempre a la necesidad de los españoles de "organizar sistemáticamente la campaña de evangelización".

---

[95] *El continente*, p. 62.

ÍNDICE

**El proceso inquisitorial del cacique de Tetzcoco,
editado en 1910 por Luis González Obregón**   7

**El proceso contra Chichimecatecuhtli Ometochtzin:
la Inquisición y la implantación del régimen colonial
en México. El trabajo pionero de Luis González Obregón**
Víctor Jiménez   11

Proceso inquisitorial del cacique de Tetzcoco   17

Preliminar
Luis González Obregón   19

Proceso criminal del santo oficio de la Inquisición   27

Proceso inquisitorial del cacique de Tetzcoco   29
     I.– Auto cabeza de proceso   29
     II.– Prisión de Don Carlos   31
     III.– Declaración de Cristóbal, indio de Chiconautla   31
     IV.– Secuestro de los bienes de Don Carlos   34
     V.– Declaración de Pedro, indio de Tezcuco   36
     VI.– Declaración de Gabriel, indio de Tezcuco   38
     VII.– Declaración de Bernabé Tlalchachi   39
     VIII.– Declaración de Doña Inés, natural de Iztapalapan   40

IX.– Amonestación y declaraciones del Gobernador
é indios principales de Tezcuco 42
    a.– Don Lorenzo de Luna, Gobernador
    de Tezcuco 42
    b.– Don Francisco, indio principal del pueblo 44
    c.– Lorenzo Huizanaualtlailotla 44
    d.– Don Hernando de Chávez 45
    e.– Don Antonio, Alcalde de Tezcuco 46
X.– Lo que declararon acerca del culto al dios Tlaloc 48
XI.– Depósito de los bienes de D. Carlos 50
XII.– Continúan las informaciones sobre el dios Tlaloc 50
    a.– Pedro Zapotlacatl 50
    b.– Juan Tlacuzcalcatl 51
    c.– Andrés, vecino de Tezcuco 52
XIII.– Los ídolos de la casa de Don Carlos 52
XIV.– Lo que hallaron á los pies de las cruces enterrado 53
XV.– Diligencia en Tezcucingo 54
XVI.– Lo que declaró Gerónimo de Pomar 55
XVII.- Lo que se halló en las sierras 56
XVIII.– Fundición de las barretillas de oro 56
XIX.– Declaración de Doña Maria,
mujer de Antonio Pomar 56
XX.– Declaración de Doña María, viuda
de D. Pedro, Gobernador que fué de Tezcuco 57
XXI.– Declaración de las criadas de Doña María 60
XXII.– Declaración del hijo de Don Carlos 61
XXIII.– Declaración de Doña María, mujer de Don Carlos 62
XXIV.– Ampliación de la denuncia
que hizo Francisco Maldonado 63
XXV.– Declaraciones de los testigos 67
    a.– Don Alonso, Señor del pueblo
    de Chiconautla, juró este día 67
    b.– Cristóbal, indio, vecino de Chiconautla 71
    c.– Melchor Aculnahuacatl 73
    d.– Doña María, mujer de Don Alonso 76

XXVI.– Declaración del acusado
      Don Carlos Chichimecatecutli   77
XXVII.– Nombramiento de Fiscal, Defensor y Procurador   82
XXVIII.– Acusación del Fiscal Cristóbal de Caniego   84
XXIX.– Traslado al Defensor   86
XXX.– Defensa presentada por Vicencio de Riverol   86
XXXI.– Traslado al Fiscal y notificación   88
XXXII.– Escrito del Defensor   88
XXXIII.– Diversas diligencias   89
XXXIV.– Interrogatorio presentado por el Defensor   91
XXXV.– Ratificaciones de los testigos   92
XXXVI.– Petición del fiscal y auto de Su Señoría   97
XXXVII.– El Defensor pide prórroga para
      hacer su probanza   97
XXXVIII.– Auto negando la prórroga   97
XXXIX.– Escrito del Defensor pidiendo reposición del auto   98
XL.– Nuevo auto negando lo solicitado por el Defensor   99
XLI.– Dáse por concluso el proceso   99
XLII.– Que se consulten los pareceres del Virrey
      é Oidores   100
XLIII.– Consulta, lectura y relato del proceso   100
XLIV.– Sentencia definitiva   101
XLV.– Pregón del auto   101
XLVI.– Notificación de la sentencia al Fiscal   102
XLVII.– Auto público de fe celebrado
      en la Plaza de México   102

Fragmento de un Proceso contra los indios de Ocuila   105

Inquisición, "evangelización" y colonización
Víctor Jiménez   **111**

Proceso inquisitorial del cacique de Tetzcoco es una coedición del 53° Congreso Internacional de Americanistas y la Secretaría de Culturadel Gobierno del Distrito Federal. El diseño y la formación son de Gabriela Oliva. Cuidaron la edición Eduardo Clavé y Gustavo Martínez. Se terminó de imprimir en junio de 2009, en los talleres de Lito Nueva Época. El tiro fue de 1,000 ejemplares. México – MMIX